A-Z COVENTRY and RUGBY

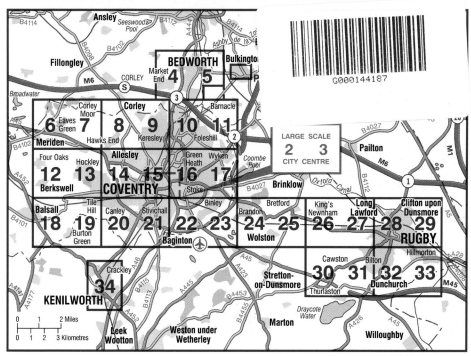

Reference

Motorway	M6
A Road	A46
B Road	B4098

Dual Carriageway

One Way Street
Traffic flow on A roads is indicated by a heavy line on the driver's left

All one way streets are shown on Large Scale Pages 2 & 3

Restricted Access

Pedestrianized Road

City Centre Junction Numbers
Large Scale Pages Only ①

Track & Footpath

Railway — Level Crossing / Station / Tunnel

Built Up Area — CORAL

Local Authority Boundary

Postcode Boundary

Map Continuation 16 — Large Scale City Centre 2

Car Park Selected Ⓟ

Church or Chapel †

Fire Station ■

Hospital Ⓗ

House Numbers
A & B Roads only 27 8

Information Centre 🄸

National Grid Reference	280
Police Station	▲
Post Office	★
Toilet with Facilities for the Disabled	▽ / ♿
Educational Establishment	
Hospital or Health Centre	
Industrial Building	
Leisure or Recreational Facility	
Place of Interest	
Public Building	
Shopping Centre or Market	
Other Selected Buildings	

Scale

Pages 4-34
1:19,000 3⅓ inches (8.47cm) to 1 mile 5.26cm to 1km

0   ¼   ½ Mile

0   250   500   750 Metres

Large Scale Pages 2 & 3
1:9,500 6⅔ inches (16.94cm) to 1 mile 10.52cm to 1km

0   100   200   300 Yards   ¼ Mile

0   100   200   300   400 Metres

Geographers' A-Z Map Company Limited

Head Office :
Fairfield Road, Borough Green, Sevenoaks, Kent TN15 8PP
Tel: 01732 781000

Showrooms :
44 Gray's Inn Road, London WC1X 8HX
Tel: 020 7440 9500

EDITION 3 2000   Copyright Ⓒ Geographers' A-Z Map Co. Ltd. 2000

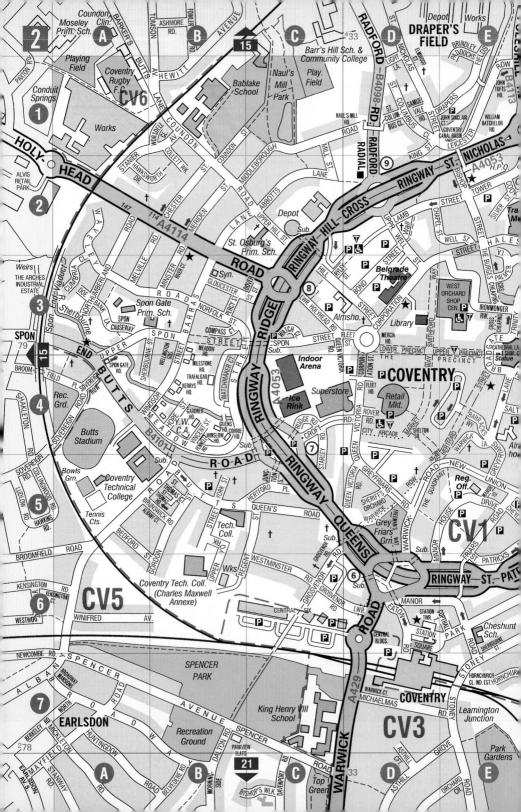

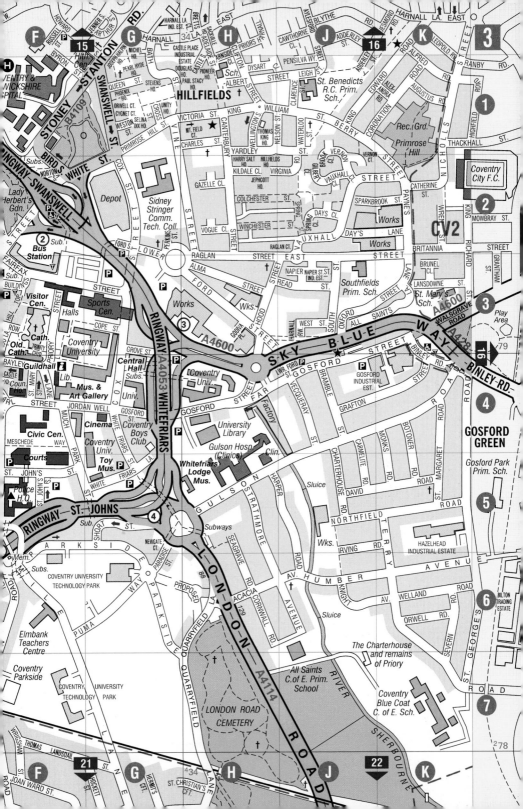

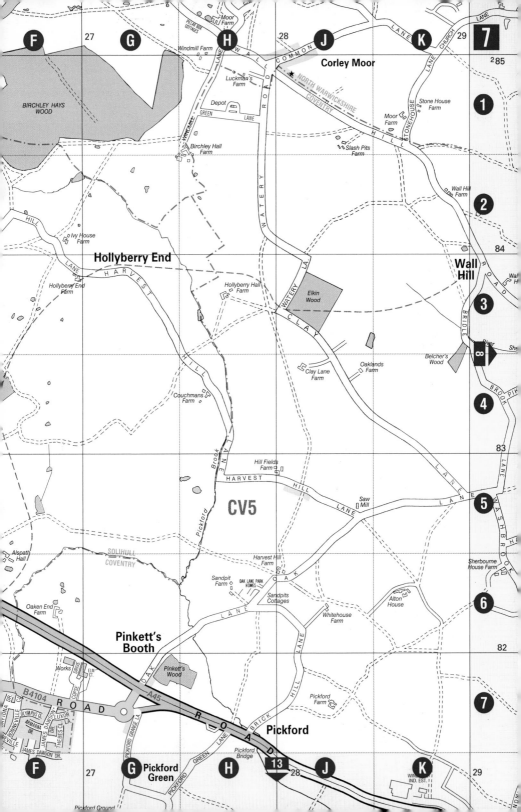

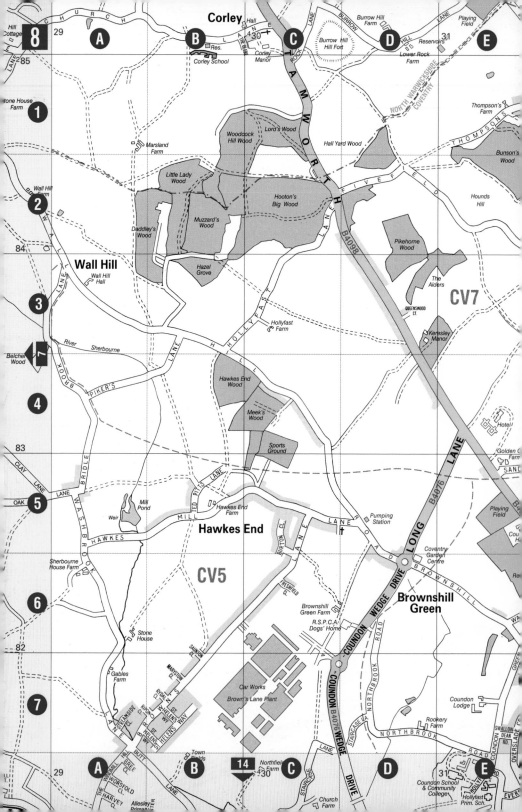

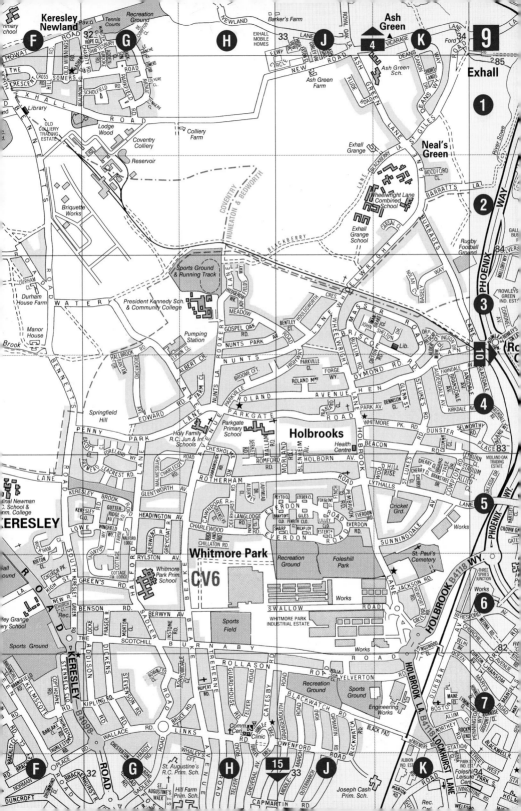

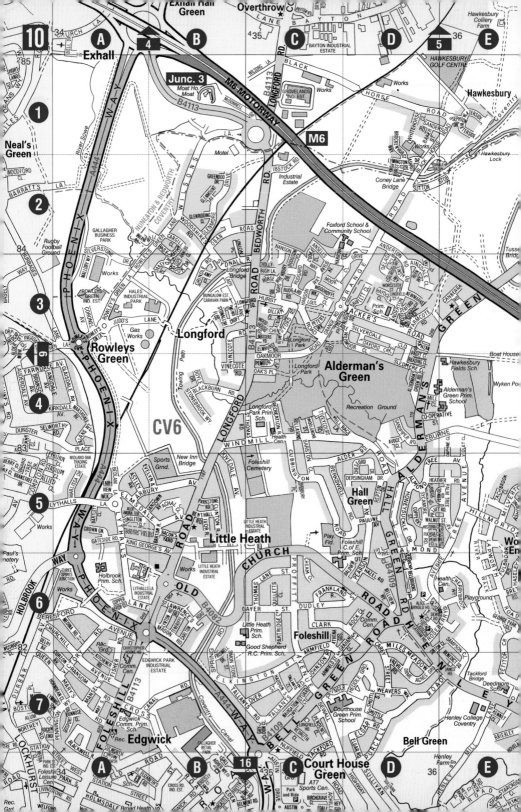

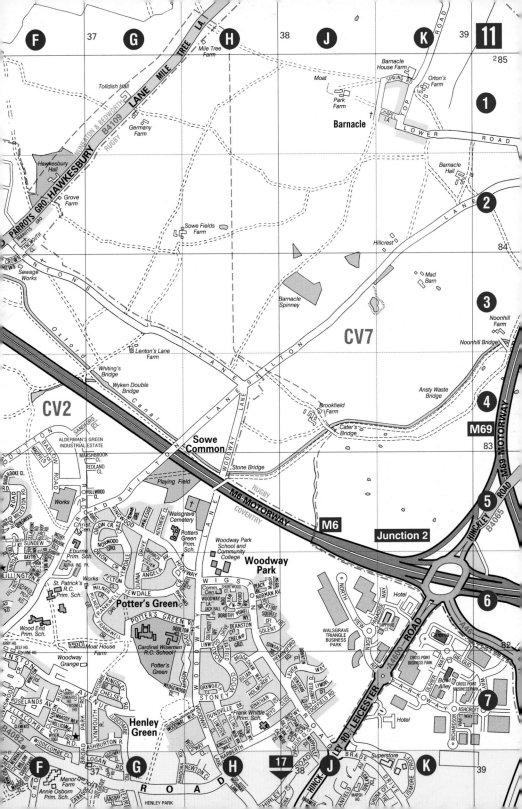

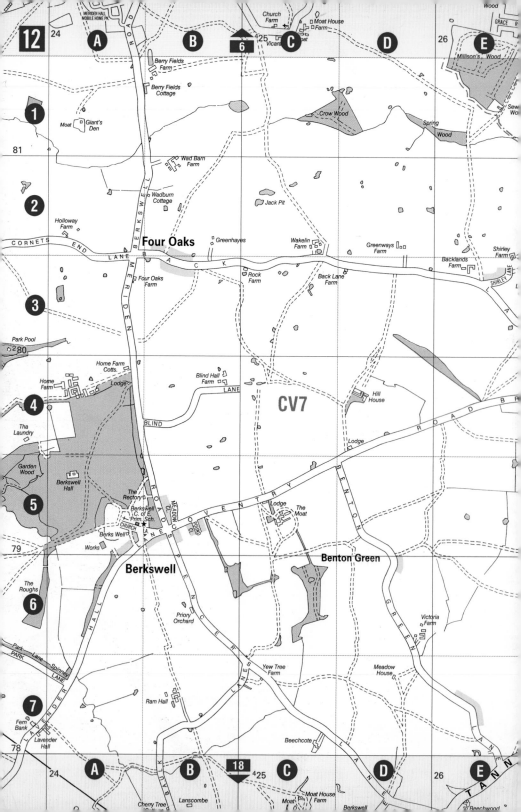

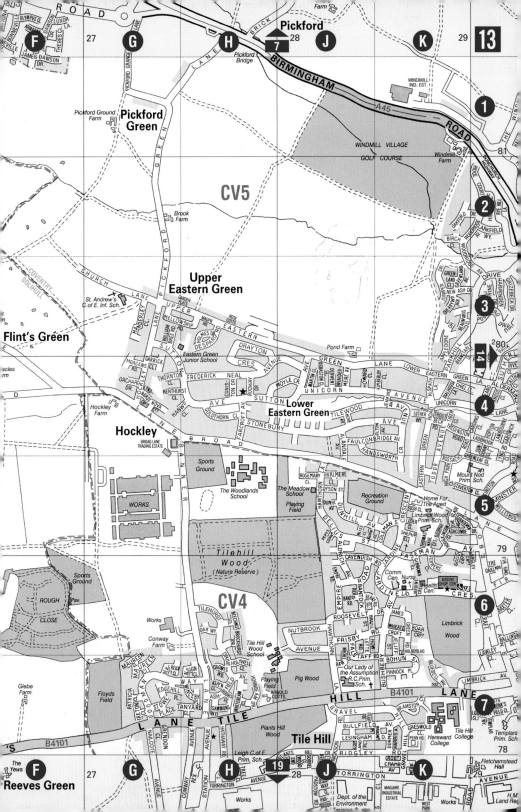

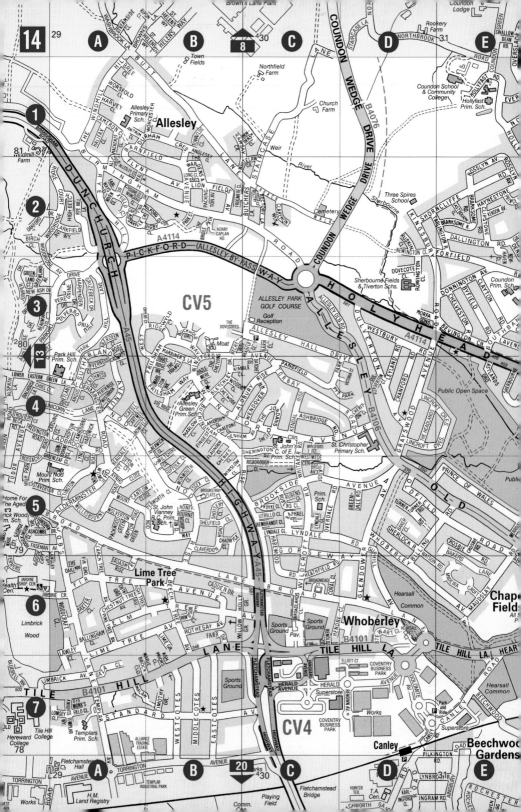

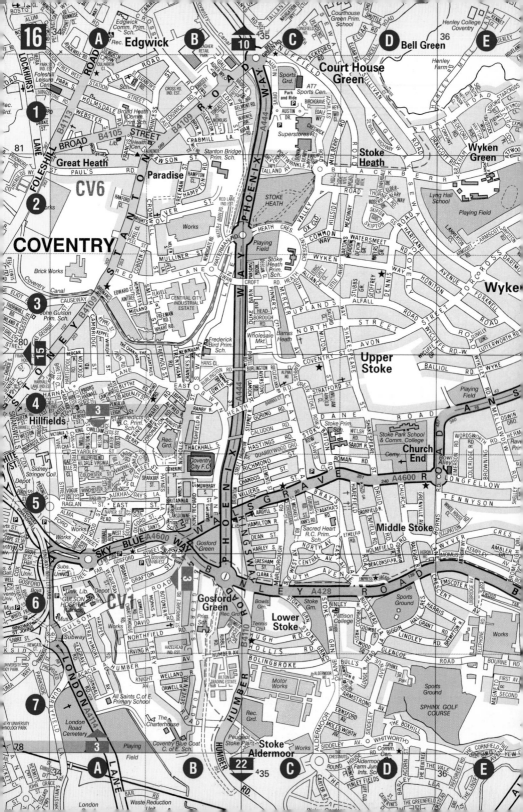

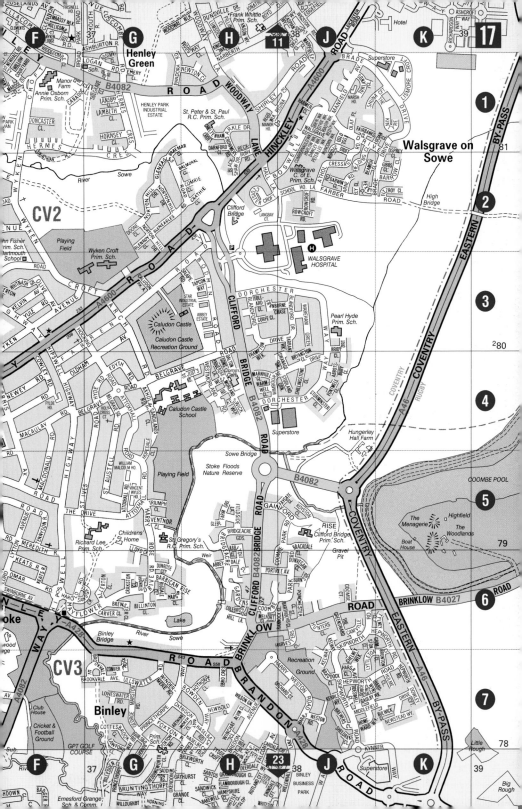

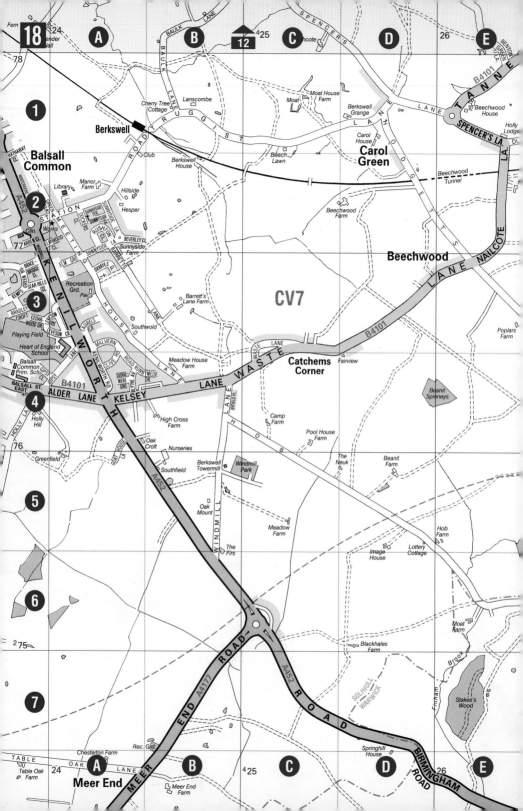

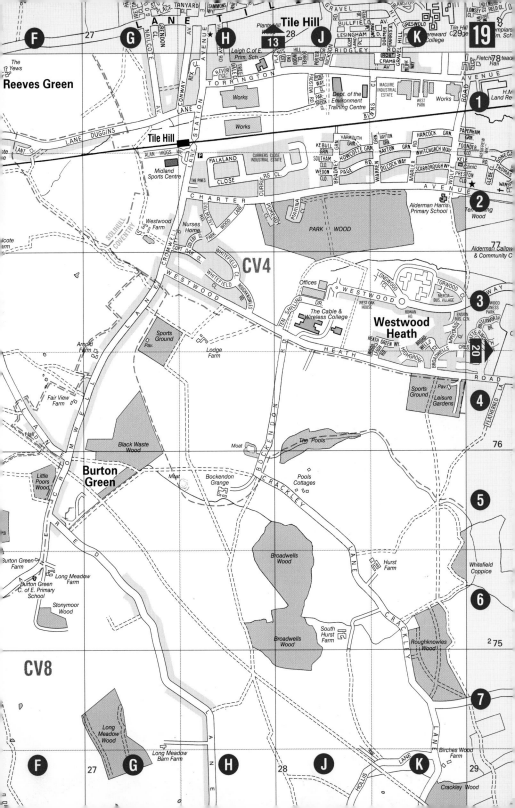

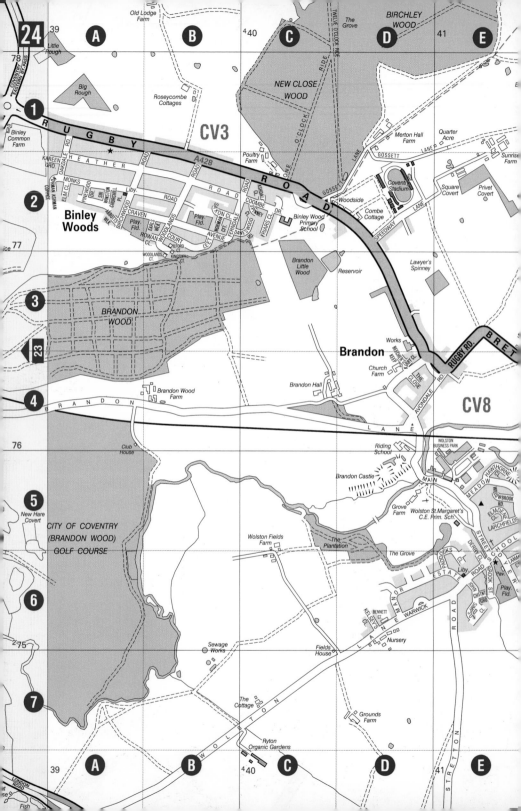

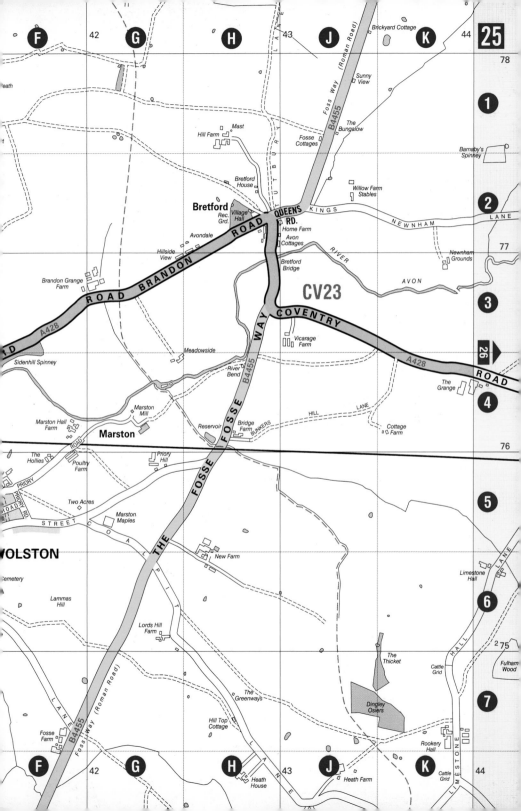

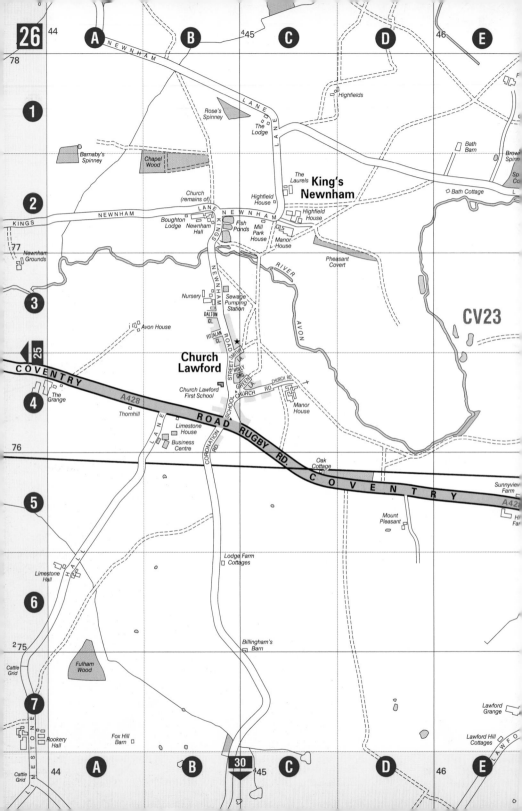

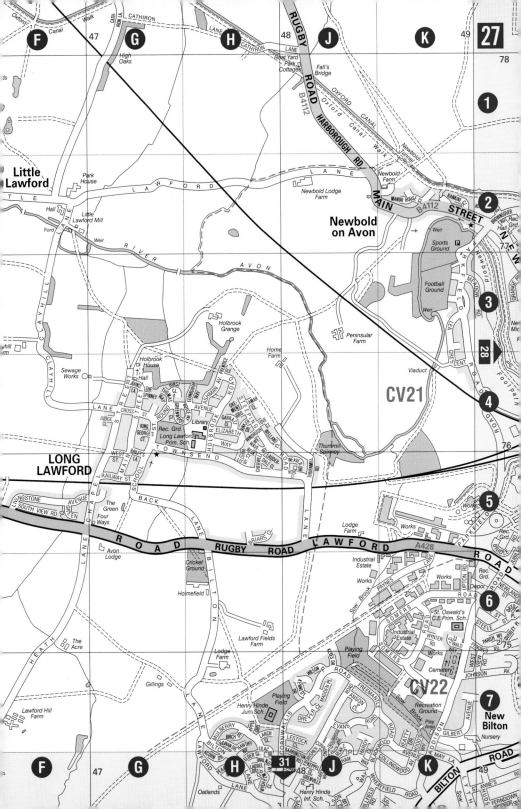

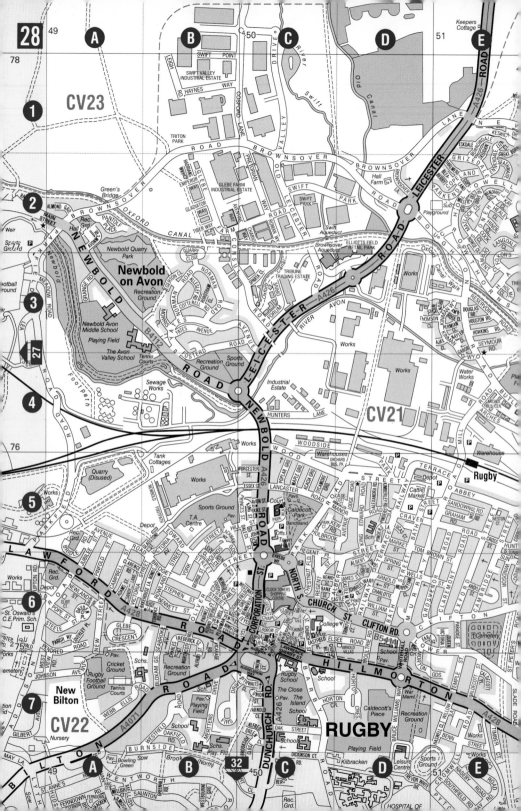

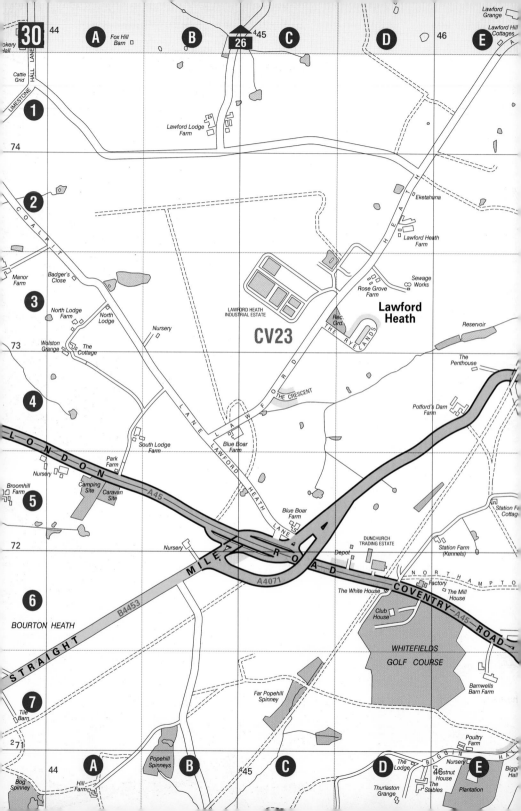

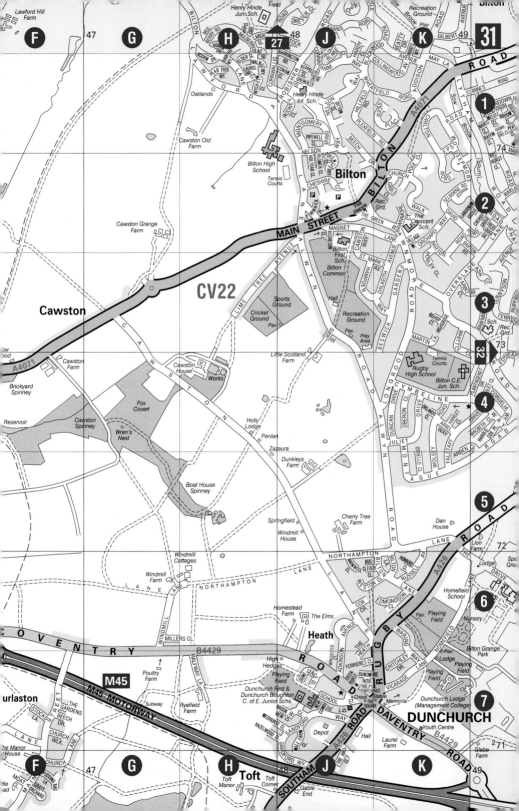

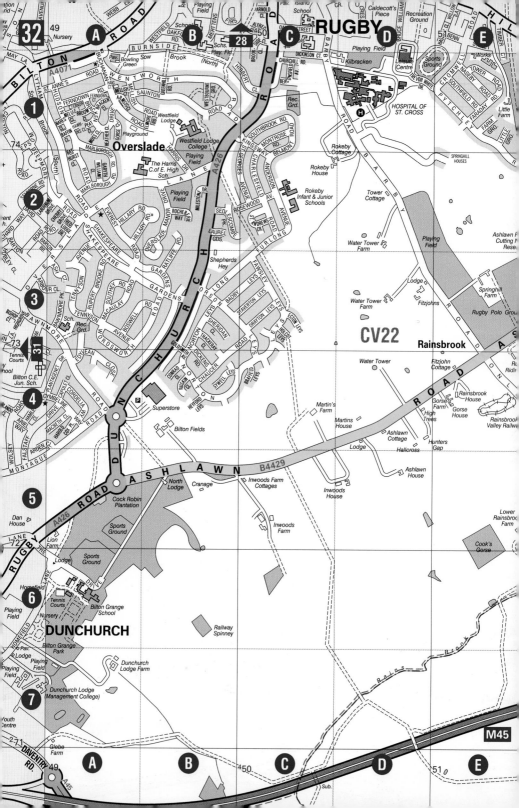

INDEX

Including Streets, Places & Areas, Industrial Estates, Selected Subsidiary Addresses
and Selected Places of Interest.

HOW TO USE THIS INDEX

1. Each street name is followed by its Posttown or Postal Locality and then by its map reference; e.g. Abbey Hill. *Ken* —3B **34** is in the Kenilworth Posttown and is to be found in square 3B on page **34**. The page number being shown in bold type.
   A strict alphabetical order is followed in which Av., Rd., St., etc. (though abbreviated) are read in full and as part of the street name; e.g. Abbeydale Clo. appears after Abbey Ct. but before Abbey End.

2. Streets and a selection of Subsidiary names not shown on the Maps, appear in the index in *Italics* with the thoroughfare to which it is connected shown in brackets; e.g. *Beaumont Ct. Cov* —4G **15** (off Beaumont Cres.)

3. Places and areas are shown in the index in **bold type**, the map reference referring to the actual map square in which the town or area is located and not to the place name; e.g. **Alderman's Green. —3D 10**

4. An example of a selected place of interest is Abbey Barn. —3A 34

5. Map references shown in brackets; e.g. Abbotts La. *Cov* —5H **15** (2C **2**) refer to entries that also appear on the large scale pages 2 & 3.

GENERAL ABBREVIATIONS

All : Alley	Ct : Court	Lit : Little	Rd : Road
App : Approach	Cres : Crescent	Lwr : Lower	Shop : Shopping
Arc : Arcade	Cft : Croft	Mc : Mac	S : South
Av : Avenue	Dri : Drive	Mnr : Manor	Sq : Square
Bk : Back	E : East	Mans : Mansions	Sta : Station
Boulevd : Boulevard	Embkmt : Embankment	Mkt : Market	St : Street
Bri : Bridge	Est : Estate	Mdw : Meadow	Ter : Terrace
B'way : Broadway	Fld : Field	M : Mews	Trad : Trading
Bldgs : Buildings	Gdns : Gardens	Mt : Mount	Up : Upper
Bus : Business	Gth : Garth	Mus : Museum	Va : Vale
Cvn : Caravan	Ga : Gate	N : North	Vw : View
Cen : Centre	Gt : Great	Pal : Palace	Vs : Villas
Chu : Church	Grn : Green	Pde : Parade	Vis : Visitors
Chyd : Churchyard	Gro : Grove	Pk : Park	Wlk : Walk
Circ : Circle	Ho : House	Pas : Passage	W : West
Cir : Circus	Ind : Industrial	Pl : Place	Yd : Yard
Clo : Close	Info : Information	Quad : Quadrant	
Comn : Common	Junct : Junction	Res : Residential	
Cotts : Cottages	La : Lane	Ri : Rise	

POSTTOWN AND POSTAL LOCALITY ABBREVIATIONS

Ald G : Aldermans Green	*Blac I* : Blackburn Road Ind. Est.	*E Grn* : Eastern Green	*New B* : New Bilton
Ald I : Aldermans Green Ind. Est.	*B'dwn* : Blackdown	*Exh* : Exhall	*N'bld* : Newbold
Alle : Allesley	*Bour* : Bourton	*Gall P* : Gallagher Bus. Pk.	*Newt* : Newton
Ansty : Ansty	*Bran* : Brandon	*Gleb F* : Glebe Farm Ind. Est.	*Nun* : Nuneaton
Ash G : Ash Green	*Bret* : Bretford	*Griff* : Griff	*Prin* : Princethorpe
Asty : Astley	*Brin* : Brinklow	*Harb M* : Harborough Magna	*Rugby* : Rugby
Bag : Baginton	*Brow* : Brownsover	*Hillm* : Hillmorton	*Ryton D* : Ryton on Dunsmore
Bal C : Balsall Common	*Bulk* : Bulkington	*Hon* : Honiley	*Shil* : Shilton
Barby : Barby	*Burt G* : Burton Green	*Ken* : Kenilworth	*Stret D* : Stretton on Dunsmore
Barn : Barnacle	*Caw* : Cawston	*Ker* : Keresley	*Swift I* : Swift Valley Ind. Est.
Bay I : Bayton Road Ind. Est.	*Char I* : Charter Avenue Ind. Est.	*Ker E* : Keresley End	*T'ton* : Thurlaston
Bed : Bedworth	*Chu L* : Church Lawford	*Law H* : Lawford Heath	*Torr I* : Torrington Avenue Ind. Est.
Berk : Berkswell	*Clift D* : Clifton upon Dunsmore	*Leek W* : Leek Wootton	*W'grve S* : Walsgrave on Sowe
Berm I : Bermuda Park Ind. Est.	*Cor* : Corley	*Lit L* : Little Lawford	*W'grve R* : Walsgrave Retail Pk.
Bil : Bilton	*Cov* : Coventry	*Longf* : Longford	*W'wd B* : Westwood Bus. Pk.
Bin : Binley	*Cov W* : Coventry Walsgrave Triangle	*Long L* : Long Lawford	*Whit V* : Whitley Village
Bin I : Binley Ind. Est.	*Cross P* : Cross Point Bus. Pk.	*Mer* : Meriden	*Wols* : Wolston
Bin W : Binley Woods	*Dunc* : Dunchurch	*Mid B* : Middlemarch Bus. Pk.	

INDEX

Abberton Way. *Cov* —6D **20**
Abbey Barn. —3A 34
Abbey Ct. *Cov* —3D **22**
Abbey Ct. *Ken* —4B **34**
Abbeydale Clo. *Cov* —5H **17**
Abbey End. *Ken* —4B **34**
Abbey Hill. *Ken* —3B **34**
Abbey Rd. *Cov* —3B **22**
  (in three parts)
Abbey St. *Rugby* —5E **28**
Abbey, The. *Ken* —3B **34**
Abbey Way. *Cov* —3B **22**
Abbotsbury Clo. *Cov* —4J **17**
Abbots Wlk. *Wols* —5F **25**
Abbotts La. *Cov* —5H **15** (2C **2**)
Abbotts Wlk. *Bin W* —2A **24**
Abbotts Way. *Rugby* —1H **33**
Abercorn Rd. *Cov* —6E **14**
Aberdeen Clo. *Cov* —3A **14**
Abergavenny Wlk. *Cov* —2H **23**
Acacia Av. *Cov* —7A **16** (6H **3**)
Acacia Cres. *Bed* —3H **5**
Acacia Gro. *Rugby* —5C **28**
Achal Clo. *Cov* —5B **10**
Achilles Rd. *Cov* —1C **16**
Acorn Clo. *Bed* —6A **4**
Acorn Dri. *Rugby* —1H **31**

Acorn St. *Cov* —1D **22**
Adam Rd. *Cov* —1C **16**
Adams St. *Rugby* —6A **28**
Adare Dri. *Cov* —1J **21**
Adcock Dri. *Ken* —3C **34**
Addenbrooke Rd. *Ker E* —1G **9**
Adderley St. *Cov* —4A **16** (1J **3**)
Addison Rd. *Bil* —1K **31**
Addison Rd. *Cov* —6G **9**
Adelaide Ct. *Bed* —4E **4**
Adelaide St. *Cov* —4A **16** (1H **3**)
Adkinson Av. *Dunc* —7J **31**
Admiral Gdns. *Ken* —2E **34**
Agincourt Rd. *Cov* —2A **22**
Ainsbury Rd. *Cov* —1E **20**
Ainsdale Clo. *Cov* —3D **10**
Aintree Clo. *Bed* —2F **5**
Aintree Clo. *Cov* —3A **16**
Ajax Clo. *Rugby* —3E **28**
Alandale Av. *Cov* —4J **13**
Alandale Ct. *Bed* —6A **4**
Alan Higgs Way. *Cov* —2G **19**
Albany Ct. *Cov* —6G **15** (5A **2**)
Albany Rd. *Cov* —7G **15** (7A **2**)
Albert Cres. *Cov* —4H **9**
Albert Rd. *Alle* —7E **6**
Albert Sq. *Rugby* —6D **28**

Albert St. *Cov* —4A **16** (1H **3**)
Albert St. *Rugby* —6D **28**
Albion Ind. Est. *Cov* —1K **15**
Albion St. *Ken* —3C **34**
Aldbourne Rd. *Cov* —3J **15**
Aldbury Ri. *Cov* —4C **14**
Alder La. *Bal C* —4A **18**
Alderman's Green. —3D 10
Alderman's Grn. Ind. Est. *Ald I* —4F **11**
Alderman's Grn. Rd. *Cov* —5D **10**
  (in two parts)
Alder Mdw. Clo. *Cov* —3K **9**
Alderminster Rd. *Cov* —4A **14**
Aldermoor Ho. *Cov* —7C **16**
Aldermoor La. *Cov* —7C **16**
Alderney Clo. *Cov* —5H **9**
Alder Rd. *Cov* —5D **10**
Alders, The. *Bed* —4C **4**
Aldrich Av. *Cov* —5J **13**
Aldrin Way. *Cov* —4D **20**
Alexander Rd. *Bed* —3G **5**
Alexandra Ct. *Ken* —4C **34**
Alexandra Rd. *Cov* —4B **16** (1K **3**)
Alexandra Rd. *Rugby* —5A **10**
Alexandra Ter. *Cov* —5A **10**
Alex Grierson Clo. *Bin* —2G **23**
Alfall Rd. *Cov* —3D **16**

Alfred Grn. Clo. *Rugby* —7C **28**
Alfred Rd. *Cov* —4B **16** (1K **3**)
Alfred St. *Rugby* —7B **28**
Alfriston Rd. *Cov* —5J **21**
Alice Arnold Ho. *Cov* —6D **10**
Alice Clo. *Bed* —5D **4**
Alison Sq. *Cov* —3D **10**
Allan Rd. *Cov* —4F **15**
Allans Clo. *Clift D* —4J **29**
Allans La. *Clift D* —4J **29**
Allard Ho. *Cov* —3D **22**
Allard Way. *Cov* —2C **22**
Allerton Clo. *Cov* —6G **17**
Allesley. —2A 14
Allesley By-Pass. *Cov* —2B **14**
Allesley Cft. *Cov* —2A **14**
Allesley Cft. *Cov* —2A **14**
Allesley Hall Dri. *Alle* —3C **14**
Allesley Old Rd. *Cov* —3C **14**
Allesley Rd. *Rugby* —3C **28**
Alliance Trad. Est. *Cov* —7A **14**
Alliance Way. *Cov* —3C **16**
Allied Clo. *Cov* —5K **9**
Allitt Gro. *Ken* —3D **34**
All Saints La. *Cov* —5A **16** (3J **3**)
All Saints Rd. *Bed* —5D **4**
All Saints Sq. *Bed* —3F **5**

Alma St. *Cov* —5A **16** (3H **3**)
Almond Gro. *Rugby* —2A **28**
Almond Tree Av. *Cov* —5D **10**
Almshouses. *Bed* —3F **5**
Alpha Ho. *Cov* —4C **16**
Alpha Ind. Pk. *Cov* —6F **11**
Alpine Ct. *Ken* —2C **34**
Alpine Ri. *Cov* —4G **21**
Alspath La. *Cov* —4K **13**
Alspath Rd. *Mer* —6A **6**
Alton Clo. *Cov* —5F **5**
Alum Clo. *Cov* —7K **9**
Alverstone Rd. *Cov* —4C **16**
Alvin Clo. *Bin* —7H **17**
Alvis Retail Pk. *Cov* —5G **15** (2A **2**)
Alwyn Rd. *Bil* —2J **31**
Amberley Av. *Bulk* —6J **5**
Ambler Gro. *Cov* —5E **16**
Ambleside. *Cov* —5G **11**
Ambleside. *Rugby* —2F **29**
Ambleside Rd. *Bed* —4E **4**
Ambrose Clo. *Rugby* —3E **28**
Amersham Clo. *Cov* —4B **14**
Amherst Rd. *Ken* —1A **34**
Amos-Jaques Rd. *Bed* —2E **4**
Amy Clo. *Cov* —3B **10**
Anchorway Rd. *Cov* —5G **21**
Anderson Av. *Rugby* —2C **32**
Anderton Rd. *Bed* —5A **4**
Anderton Rd. *Cov* —2D **10**
Angela Av. *Cov* —6G **11**
Anglesey Clo. *Alle* —1B **14**
Angless Way. *Ken* —5B **34**
Angus Clo. *Cov* —4A **14**
Angus Clo. *Ken* —2E **34**
Anker Dri. *Long L* —4H **27**
Anne Cres. *Cov* —4E **22**
Ansells Dri. *Longf* —2C **10**
Anson Clo. *Rugby* —7J **27**
Anson Way. *W'grve S* —7H **11**
Ansty Rd. *Cov* —4E **16**
Anthony Way. *Cov* —6E **16**
Antrim Clo. *Alle* —1A **14**
Applecross Clo. *Cov* —3K **19**
Appledore Dri. *Cov* —3K **13**
Apple Gro. *Rugby* —7H **27**
Arboretum, The. *Cov* —6D **20**
Arbour Clo. *Ken* —5D **34**
Arbour Clo. *Rugby* —3K **31**
Arbury Av. *Bed* —3E **4**
Arbury Av. *Cov* —5A **14**
Archer Rd. *Ken* —5A **34**
Archers Spinney. *Hillm* —2K **33**
Archery Rd. *Mer* —6A **6**
Arches Bus. Cen. *Rugby* —4E **28**
Arches Ind. Est., The. *Cov*
　　　　　　 —5G **15** (3A **2**)
Arches La. *Cov* —4E **28**
Arch Rd. *Cov* —3G **17**
Arden Clo. *Bal C* —2A **18**
Arden Clo. *Mer* —6A **6**
Arden Clo. *Rugby* —5K **31**
Arden Rd. *Bulk* —7J **5**
Arden Rd. *Ken* —5D **34**
Arden St. *Cov* —7F **15**
Argent Ct. *Cov* —3C **20**
Argyle St. *Rugby* —6E **28**
Argyll St. *Cov* —5C **16**
Ariel Way. *Rugby* —4K **31**
Arkle Dri. *Cov* —1H **17**
Arlidge Cres. *Ken* —4E **34**
Armarna Dri. *Alle* —7F **7**
Armfield St. *Cov* —6C **10**
Armorial Rd. *Cov* —3H **21**
Armscott Rd. *Cov* —2E **16**
　　(in two parts)
Armson Rd. *Exh* —6E **4**
Armstrong Av. *Cov* —7D **16**
Armstrong Clo. *Rugby* —1A **32**
Arne Rd. *Cov* —2J **17**
Arnfield St. *Cov* —7C **10**
Arnhem Corner. *Cov* —3F **23**
Arno Ho. *Cov* —3D **22**
Arnold Av. *Cov* —4J **21**
Arnold Clo. *Rugby* —7C **28**
Arnold Cotts. *Cov* —7H **13**
Arnold St. *Rugby* —6D **28**
Arnold Vs. *Rugby* —6D **28**
Arnside Clo. *Cov* —4A **16** (1H **3**)
Arthingworth Clo. *Bin* —7G **17**
Arthur Alford Ho. *Bed* —5B **4**
Arthur St. *Cov* —4K **15** (1G **3**)
Arthur St. *Ken* —3C **34**
Arundel Rd. *Bulk* —6J **5**
Arundel Rd. *Cov* —3K **21**
Ascot Clo. *Bed* —2F **5**
Ascot Clo. *Cov* —3E **22**
Ashbridge Rd. *Cov* —4C **14**
Ashburton Rd. *Cov* —7G **11**

Ashby Clo. *Bin* —1H **23**
Ashcombe Dri. *Cov* —5K **13**
Ash Ct. *Rugby* —3A **32**
Ashcroft Clo. *Cov* —7J **11**
Ashcroft Way. *Cross P* —7K **11**
Ashdale Clo. *Bin W* —2C **24**
Ashdene Gdns. *Ken* —4D **34**
Ashdown Clo. *Bin* —1F **23**
Ash Dri. *Ken* —4C **34**
Ashfield Av. *Cov* —7H **13**
Ashfield Rd. *Ken* —7B **14**
Ashford Dri. *Bed* —3E **4**
Ash Green. —7A 4
Ash Grn. La. *Cov* —1J **9**
Ash Gro. *Cov* —7A **4**
Ashington Gro. *Cov* —3C **22**
Ashington Rd. *Bed* —5A **4**
Ashlawn Railway Cutting Nature
　　　　　　　Reserve. —2E **32**
Ashlawn Rd. *Rugby* —5A **32**
Ashman Av. *Long L* —4H **27**
Ashmore Rd. *Cov* —4H **15** (1B **2**)
Ashorne Clo. *Cov* —5E **10**
　　(in two parts)
Ashow Clo. *Ken* —4D **34**
Ash Priors Clo. *Cov* —7B **14**
Ash Tree Av. *Cov* —6A **14**
Ashurst Clo. *Longf* —2D **10**
Ashwood Av. *Cov* —3F **15**
Aspen Clo. *Cov* —7H **13**
Asplen Ct. *Ken* —4E **34**
Assheton Clo. *Rugby* —2J **31**
Asthill Cft. *Cov* —1J **21** (7D **2**)
Asthill Gro. *Cov* —1J **21** (7D **2**)
Astley Av. *Cov* —5A **10**
Astley La. *Asty* —2A **4**
　　(in two parts)
Astley Pl. *Rugby* —3K **33**
Aston Ind. Est. *Bed* —4H **5**
Aston Rd. *Cov* —7F **15**
Athena Gdns. *Cov* —6C **10**
Atherston Pl. *Cov* —3D **20**
Athol Rd. *Cov* —2J **17**
Attoxhall Rd. *Cov* —4G **17**
Attwood Cres. *Cov* —1E **16**
Augustus Rd. *Cov* —4B **16** (1K **3**)
Austin Dri. *Cov* —1C **16**
Aventine Way. *Gleb F* —2B **28**
Avenue Rd. *Ken* —2A **34**
Avenue Rd. *Rugby* —5A **28**
Avenue, The. *Cov* —3C **22**
Avocet Clo. *Ald G* —4D **10**
Avondale Rd. *Bran* —4D **24**
Avondale Rd. *Cov* —1G **21**
Avonmere. *Rugby* —2A **28**
Avon Rd. *Ken* —5A **34**
Avon St. *Cliff D* —5G **29**
Avon St. *Cov* —3D **16**
Avon St. *Rugby* —5C **28**
Awson St. *Cov* —2B **16**
Axholme Rd. *Cov* —4G **17**
Aylesdene Ct. *Cov* —1F **21**
Aylesford St. *Cov* —4A **16** (1J **3**)
Aynho Clo. *Cov* —5A **14**

Babbacombe Rd. *Cov* —4K **21**
Bablake Clo. *Cov* —7F **9**
Back La. *Long L* —5G **27**
Back La. *Mer* —3B **12**
Bacon's Yd. *Cov* —5B **10**
Badby Leys. *Rugby* —3B **32**
Badger Rd. *Bin* —1F **23**
Baffin Clo. *Rugby* —1A **32**
Baginton. —7B 22
Baginton Rd. *Cov* —3H **21**
　　(in two parts)
Bagshaw Clo. *Ryton D* —7J **23**
Bailey's La. *Long L* —4G **27**
Bakehouse La. *Rugby* —6B **28**
Bakers La. *Cov* —6E **14**
Baker St. *Longf* —1D **10**
Bakewell Clo. *Bin* —1H **23**
Balcombe Ct. *Rugby* —2G **33**
Balcombe Rd. *Rugby* —2F **33**
Baldwin Cft. *Cov* —6D **10**
Ballantine Rd. *Cov* —2H **15**
Ballingham Clo. *Cov* —6A **14**
Balliol Rd. *Cov* —4D **16**
Balmoral Clo. *Cov* —2H **17**
Balsall St. E. *Bal C* —4A **18**
Bankside Clo. *Cov* —3B **22**
Banks Rd. *Cov* —3G **15**
Bank St. *Rugby* —6C **28**
Banner La. *Cov* —4H **13**
Bantam Gro. *Cov* —4G **9**
Bantock Rd. *Cov* —6J **13**
Barbican Ri. *Cov* —6G **17**

Barbridge Clo. *Bulk* —7J **5**
Barbridge Rd. *Bulk* —6H **5**
Barby La. *Barby* —5J **33**
Barby La. *Rugby* —2H **33**
Barby Rd. *Rugby* —7C **28**
Barford Clo. *Bin* —2F **23**
Barford M. *Ken* —4D **34**
Barford Rd. *Ken* —5D **34**
Barker's Butts La. *Cov* —3F **15** (1A **2**)
Barley Clo. *Rugby* —2J **33**
Barley Lea, The. *Cov* —1D **22**
Barlow Rd. *Ald I* —4F **11**
Barnack Av. *Cov* —4H **21**
Barnacle. —1J 11
Barnacle La. *Bulk* —1J **5**
Barn Clo. *Cov* —3C **14**
Barnfield Av. *Alle* —1A **14**
Barnstaple Clo. *Cov* —4K **13**
Barnwell Clo. *Dunc* —6J **31**
Baron's Cft. *Cov* —2A **22**
Baron's Fld. Rd. *Cov* —2K **21**
Barracks Way. *Cov* —6J **15** (4E **2**)
Barras Ct. *Cov* —4C **16**
Barras Grn. *Cov* —4C **16**
Barras La. *Cov* —5H **15** (3B **2**)
Barratt's La. *Ash G* —2K **9**
Barretts La. *Bal C* —3A **18**
Barrington Rd. *Rugby* —7J **27**
Bar Rd. *Cov* —1A **22**
Barrow Clo. *Cov* —2K **17**
Barrowfield Ct. *Ken* —4B **34**
Barrowfield La. *Ken* —4B **34**
Barrow Rd. *Ken* —4B **34**
Barry Ho. *Cov* —6F **11**
Barston Clo. *Cov* —4C **10**
Bartlett Clo. *Cov* —5A **10**
Barton Rd. *Bed* —3E **4**
Barton Rd. *Cov* —5B **10**
Barton Rd. *Rugby* —2K **31**
Barton's Mdw. *Cov* —2D **16**
Basely Way. *Longf* —3K **9**
Basford Brook Dri. *Cov* —2B **10**
Basildon Wlk. *Cov* —1J **17**
Bassett Rd. *Cov* —3G **15**
Bateman's Acre S. *Cov* —4G **15**
Bates Rd. *Cov* —2E **20**
Bath St. *Cov* —4K **15** (1G **3**)
Bath St. *Rugby* —6D **28**
Bathurst Clo. *Rugby* —2A **32**
Bathurst Rd. *Cov* —2G **15**
Bathway Rd. *Cov* —5G **21**
Batsford Rd. *Cov* —3F **15**
Baulk La. *Berk* —1B **18**
Bawnmore Ct. *Bil* —2K **31**
Bawnmore Pk. *Rugby* —3A **32**
Bawnmore Rd. *Rugby* —2K **31**
Baxter Clo. *Cov* —6A **14**
Bayley La. *Cov* —6K **15** (4F **3**)
Baylis Av. *Longf* —3C **10**
Bayton Ind. Est. *Exh* —7E **4**
Bayton Rd. Ind. Est. *Exh* —6F **5**
Bayton Way. *Exh* —7G **5**
Baytree Clo. *Cov* —6F **11**
Beacon Rd. *Cov* —4J **9**
Beaconsfield Av. *Rugby* —1C **32**
Beaconsfield Rd. *Cov* —6D **16**
Beake Av. *Cov* —6H **9**
Beamish Clo. *Cov* —2J **17**
Beanfield Av. *Cov* —5F **21**
Beatty Dri. *Rugby* —7K **27**
Beauchamp Rd. *Ken* —6A **34**
Beaudesert Rd. *Cov* —7G **15**
Beaufort Dri. *Bin* —2H **23**
Beaumaris Clo. *Cov* —3K **13**
Beaumont Cres. Cov —4G **15**
　　(off Beaumont Cres.)
Beaumont Cres. *Cov* —4G **15**
Beaumont Rd. *Ker E* —1F **9**
Beausale Cft. *Cov* —5A **14**
Beche Way. *Cov* —3B **14**
Beckbury Rd. *Cov* —2H **17**
Beckfoot Clo. *Rugby* —1F **29**
Beckfoot Dri. *Cov* —6H **11**
Becks La. *Mer* —2E **6**
Bede Arc. *Bed* —3F **5**
Bede Rd. *Bed* —2E **4**
Bede Rd. *Cov* —2H **15**
Bede Village. *Bed* —6A **4**
Bedford St. *Cov* —6G **15** (5A **2**)
Bedlam La. *Longf* —2H **9**
Bedworth. —4F 5
Bedworth Clo. *Bulk* —7H **5**
Bedworth Heath. —4C 4
Bedworth La. *Bed* —2A **4**
Bedworth Rd. *Bulk* —4J **5**
Bedworth Rd. *Longf* —2C **10**
Bedworth Sloughs Nature Reserve.
　　　　　　　　　 —3D **4**

Bedworth Woodlands. —3C **4**
Beech Ct. *Rugby* —2H **33**
Beech Cft. *Bed* —5D **4**
Beech Dri. *Ken* —3D **34**
Beech Dri. *Rugby* —1J **31**
Beech Dri. *T'ton* —7F **31**
Beecher's Keep. *Bran* —4D **24**
Beeches, The. *Bed* —4C **4**
Beechnut Clo. *Cov* —6H **13**
Beech Tree Av. *Cov* —6B **14**
Beechwood. —2D 18
Beechwood Av. *Cov* —7E **14**
　　(in two parts)
Beechwood Ct. *Cov* —1F **21**
Beechwood Cft. *Ken* —6B **34**
Beechwood Gardens. —1E 20
Beechwood Rd. *Bed* —2G **5**
Beehive Hill. *Ken* —1A **34**
Beeston Clo. *Bin* —1H **23**
Belgrave Dri. *Rugby* —3F **29**
Belgrave Rd. *Cov* —4E **16**
Belgrave Sq. *Cov* —4G **17**
Bellairs Av. *Bed* —5C **4**
Bellbrooke Clo. *Cov* —6D **10**
Bell Dri. *Cov* —7C **4**
Bell Green. —6D 10
Bell Grn. Rd. *Cov* —7C **10**
Bellview Way. *Cov* —6D **10**
Bell Wlk. *Rugby* —2K **33**
Belmont M. *Ken* —4B **34**
Belmont Rd. *Cov* —1B **16**
　　(in two parts)
Belmont Rd. *Rugby* —2C **32**
Belvedere Rd. *Cov* —1G **21** (7B **2**)
Benedictine Rd. *Cov* —2J **21**
Benedict Sq. *Cov* —7E **10**
Bennett Ct. *Wols* —6D **24**
Bennett's Rd. *Ker E* —1F **9**
Bennett's Rd. N. *Cor* —1E **8**
Bennett's Rd. S. *Cov* —4F **9**
Bennett St. *Rugby* —6B **28**
Bennfield Rd. *Rugby* —6C **28**
Benn Rd. *Bulk* —7H **5**
Benn St. *Rugby* —7E **28**
Benson Rd. *Cov* —6F **9**
Benthall Rd. *Cov* —5B **10**
Bentley Ct. *Cov* —3J **9**
Bentley Rd. *Exh* —5E **4**
Benton Grn. La. *Berk* —5D **12**
Bentree, The. *Cov* —1D **22**
Beresford Av. *Cov* —6K **9**
Berkeley Rd. *Ken* —2A **34**
Berkeley Rd. N. *Cov* —7G **15**
Berkeley Rd. S. *Cov* —1G **21**
Berkett Rd. *Cov* —4H **9**
Berkswell. —5B 12
Berkswell Rd. *Cov* —5C **10**
Berkswell Rd. *Mer* —2A **12**
Berkswell Towermill. —5B **18**
Berners Clo. *Cov* —6J **13**
Berry St. *Cov* —4A **16** (1J **3**)
Bertie Ct. *Ken* —4C **34**
Bertie Rd. *Ken* —4B **34**
Berwick Clo. *Cov* —4B **14**
Berwyn Av. *Cov* —6G **9**
Best Av. *Ken* —2E **34**
Beswick Gdns. *Rugby* —3K **31**
Bettman Clo. *Cov* —3A **22**
Beverley Clo. *Bal C* —2A **18**
Beverly Dri. *Cov* —7D **20**
Bevington Cres. *Cov* —3E **14**
Bexfield Clo. *Alle* —2A **14**
Biart Pl. *Rugby* —5F **29**
Bideford Rd. *Cov* —1E **16**
Bigbury Clo. *Cov* —4A **22**
Biggin Hall Cres. *Cov* —6D **16**
Biggin Hall La. *T'ton* —7E **30**
Bilberry Rd. *Cov* —5F **11**
Billesden Clo. *Bin* —1G **23**
Billing Rd. *Cov* —7J **13**
Billinton Clo. *Cov* —6G **17**
Bilton. —2J 31
Bilton La. *Dunc* —6K **31**
Bilton La. *Long L* —6H **27**
Bilton Rd. *Bil* —2J **31**
Bilton Trad. Est. *Cov* —7B **16** (6K **3**)
Binley. —1G 23
Binley Av. *Bin* —2H **23**
Binley Bus. Pk. *Bin* —1J **23**
　　(in two parts)
Binley Gro. *Cov* —2H **23**
Binley Rd. *Cov & Bin* —5B **16** (3K **3**)
　　(in three parts)
Binley Woods. —2A 24
Binns Clo. *Torr I* —1K **19**
Binswood Clo. *Cov* —5F **11**
Binton Rd. *Cov* —6F **11**
Birch Clo. *Bed* —2H **5**

Birch Clo.—Castle Green

Birch Clo. Cov—2K 13
Birch Dri. Rugby—7H 27
Birches La. Ken—5C 34
Birchfield Rd. Cov—1F 15
Birchgrave Clo. Cov—1C 16
Birchwood Rd. Bin W—2A 24
Bird Gro. Ct. Cov—3K 15
Bird St. Cov—5K 15 (2F 3)
Birmingham Rd. Alle—2A 14
Birmingham Rd. Ken—7D 18
Birmingham Rd. Mer—5A 6
Birmingham Rd. Mer & Alle—7C 6
(in two parts)
Birstall Dri. Rugby—3F 29
Birvell Ct. Bed—4H 5
Bishopsgate Bus. Pk. Cov—3K 15
Bishopsgate Grn. Cov—3K 15
Bishopsgate Ind. Est. Cov—3K 15
Bishop St. Cov—5J 15 (2E 2)
Bishop's Wlk. Cov—1H 21 (7B 2)
Bishopton Clo. Cov—5B 14
Bittern Wlk. Cov—6F 11
Black Bank. —5F 5
Black Bank. Exh—5F 5
Blackberry Clo. Rugby—1F 29
Blackberry La. Ash G—2J 9
(in two parts)
Blackberry La. Cov—2C 16
Blackburn Rd. Blac I—4B 10
Black Horse Rd. Exh & Longf—1C 10
Blackman Way. Rugby—5B 28
Black Pad. Cov—7J 9
Black Prince Av. Cov—2K 21
Blackshaw Dri. W'grve S—2H 17
Blackthorn Clo. Cov—4D 20
Blackthorn Rd. Ken—5C 34
Blackwatch Rd. Cov—7J 9
Blackwell Rd. Cov—7A 10
Blackwood Av. Rugby—1J 31
Blair Dri. Bed—5B 4
Blake Clo. Rugby—1J 31
Blandford Dri. Cov—3H 17
Bleaberry. Rugby—2E 28
Blenheim Av. Cov—5J 9
Bletchley Dri. Cov—4B 14
Blind La. Berk—4B 12
Bliss Clo. Cov—5J 13
Blockley Rd. Bed—2G 5
Blondvil St. Cov—2J 21
Bloxam Gdns. Rugby—7B 28
Bloxham Pl. Rugby—6C 28
Bluebell Clo. Rugby—1F 29
Bluebell Wlk. Cov—7K 13
Blundells, The. Ken—3B 34
Blyth Clo. Bed—5A 4
Blythe Av. Bal C—4A 18
Blythe Rd. Cov—4A 16 (1J 3)
Boar Cft. Cov—6K 13
Bockendon Rd. Cov—5H 19
Bodmin Rd. Cov—3H 17
Bodnant Way. Ken—2E 34
Bohun St. Cov—7K 13
Bolingbroke Rd. Cov—7C 16
Bolton Clo. Cov—4A 22
Bond St. Cov—5J 15 (3D 2)
Bond St. Rugby—6B 28
Bonneville Clo. Alle—7F 7
Bonnington Clo. Rugby—1K 33
Bonnington Dri. Bed—2E 4
Booths Fields. Cov—5A 10
Borrowdale. Rugby—1E 28
Borrowdale Clo. Cov—7G 9
Borrowell La. Ken—4A 34
Borrowell Ter. Ken—4A 34
Boscastle Ho. Bed—5A 4
Boston Pl. Cov—7K 9
Boswell Dri. Cov—2J 17
Boswell Rd. Rugby—3A 32
Botoner Rd. Cov—6B 16 (4K 3)
Bott Rd. Cov—1D 20
Boughton Rd. Rugby—2D 28
Boundary Rd. Rugby—7F 29
Bourne Rd. Cov—7E 16
Bow Ct. Cov—1D 20
Bowden Way. Bin—7H 17
Bowen Rd. Rugby—2F 33
Bow Fell. Rugby—2F 29
Bowfell Clo. Cov—4A 14
Bowling Grn. La. Bed—7C 4
Bowls Ct. Cov—5F 15
Bowness Clo. Cov—7G 9
Boxhill, The. Cov—7D 16
Boyce Way. Long L—4H 27
Boyd Clo. Cov—7H 11
Bracadale Clo. Cov—5J 17
Bracebridge Clo. Bal C—3A 18
Bracken Clo. Rugby—1A 32
Bracken Dri. Rugby—1A 32
Brackenhurst Rd. Cov—1F 15
Brackley Clo. Cov—1F 15
Bracknell Wlk. Cov—1J 17
Braddock Clo. Bin—7J 17
Brade Dri. Cov—1J 17
Bradfield Clo. Cov—3C 14
Bradley Cft. Bal C—3A 18
Bradney Grn. Cov—2J 19
Bradnick Pl. Cov—7K 13
Braemar Clo. Cov—1G 17
Brafield Leys. Rugby—4C 32
Bramble St. Cov—6A 16 (4J 3)
Bramcote Clo. Bulk—7K 5
Brampton Way. Bulk—6H 5
Bramston Cres. Cov—7K 13
Bramwell Gdns. Cov—2A 10
Brandfield Rd. Cov—7F 9
Brandon. —4D 24
Brandon Castle. —5D 24
Brandon Ct. Bin I—2J 23
Brandon La. Cov & Wols—5F 23
Brandon Marsh Nature Reserve. —5J 23
Brandon Marsh Nature Reserve Vis. Cen. —5K 23
Brandon Rd. Bin—7H 17
Brandon Rd. Bret—3G 25
Branksome Rd. Cov—2E 14
Bransdale Av. Cov—4K 9
Bransford Av. Cov—4D 20
Branstree Dri. Cov—5K 9
Brathay Clo. Cov—3K 21
Braunston Pl. Rugby—2F 33
Brayford Av. Cov—3J 21
Bray's La. Cov—5C 16
Braytoft Clo. Cov—5H 9
Brazil St. Cov—6J 13
Bredon Av. Bin—2H 23
Bree Clo. Alle—1A 14
Brentwood Av. Cov—6J 21
Bretford. —2H 25
Bretford Rd. Bran & Bret—3E 24
Bretford Rd. Cov—6E 10
Bretts Clo. Cov—4A 16 (1H 3)
Brewer Rd. Bulk—7K 5
Brewers Clo. Bin—7J 17
Brewster Clo. Cov—6G 17
Brians Way. Cov—4A 10
Briardene Av. Bed—4F 5
Briars Clo. Cov—6E 16
Briars Clo. Long L—5H 27
Brick Hill La. Alle—7H 7
Bridgeacre Gdns. Cov—5H 17
Bridgecote. Cov—3G 23
Bridgeman Rd. Cov—3H 15
Bridge St. Cov—1B 16
Bridge St. Ken—3B 34
Bridge St. Rugby—6E 28
Bridget St. Rugby—6B 28
Bridle Brook La. Alle—3K 7
Bridle Path, The. Cov—2B 14
Bridle Rd. Rugby—5A 28
Bridport Clo. Cov—3J 17
Brierley Rd. Cov—7E 10
Brightmere Rd. Cov—4H 15
Brighton St. Cov—5B 16
(in two parts)
Bright St. Cov—2A 16
Bright Walton Rd. Cov—2K 21
Brill Clo. Cov—4C 20
Brindle Av. Cov—7E 16
Brindley Paddocks. Cov—4J 15 (1E 2)
Brindley Rd. Bay I—7F 5
Brindley Rd. Rugby—1J 33
Brinklow Rd. Bin—6H 17
Brisbane Clo. Cov—3A 22
Brisbane Ct. Bed—4E 4
Briscoe Rd. Cov—3J 9
Bristol Rd. Cov—6F 15
Britannia St. Cov—5B 16 (2K 3)
British Road Transport Mus. —5J 15 (2E 2)
Briton Rd. Cov—4C 16
Brixham Dri. Cov—2E 16
Brixworth Clo. Bin—1H 23
Broadgate. Cov—6J 15 (4E 2)
Broadlands Clo. Cov—6C 14
Broad La. Mer & Cov—4E 12
Broad La. Trad. Est. Cov—4G 13
Broadmead Ct. Cov—6C 14
Broadmere Ri. Cov—6A 14
Broad Pk. Rd. Cov—1F 17
Broad St. Cov—1A 16
Broad St. Jetty. Cov—1A 16
Broadwater. Cov—1G 21
Broadway. Cov—7G 15 (7A 2)
Broadway Mans. Cov—7G 15 (7A 2)
Broadwells Ct. Cov—3K 19
Broadwells Cres. Cov—4K 19
Brockenhurst Way. Longf—1D 10
Brockhurst Dri. Cov—6H 13
Bromleigh Dri. Cov—6E 16
Bromleigh Vs. Bag—7B 22
Bromley Clo. Ken—2A 34
Bromwich Clo. Bin—1H 23
Bromwich Rd. Rugby—1H 33
Bronte Clo. Rugby—6E 28
Brook Clo. Cov—5A 16 (2J 3)
Brooke Rd. Ken—4D 34
Brookford Av. Cov—4G 9
Brooklea. Bed—4D 4
Brooklime Dri. Rugby—1G 29
Brooklyn Rd. Cov—2K 15
Brookshaw Way. Cov—7H 11
Brookside Av. Cov—5C 14
Brookside Av. Ken—4A 34
Brookside Clo. Rugby—1C 32
Brookstray Flats. Cov—5B 14
Brook St. Bed—1F 5
Brook St. Wols—6E 24
Brookvale Av. Bin—7G 17
Brook Vw. Dunc—7J 31
Broom Clo. Rugby—1A 32
Broome Cft. Cov—4H 9
Broomfield Pl. Cov—6G 15 (4A 2)
Broomfield Rd. Cov—7F 15 (6A 2)
Broomybank. Ken—2D 34
Browett Rd. Cov—3F 15
Browning Rd. Cov—5E 16
Browning Rd. Rugby—2K 33
Brownshill Ct. Cov—7F 9
Brownshill Green. —6D 8
Brownshill Grn. Rd. Cov—6D 8
Brown's La. Alle—7A 8
Brownsover. —2F 29
Brownsover La. Rugby—2D 28
Brownsover Rd. Rugby—2A 28
Bruce Rd. Cov—7G 9
Bruce Rd. Exh—7D 4
Bruce Williams Way. Rugby—7D 28
Brunel Clo. Cov—5B 16 (3K 3)
Brunes Ct. Rugby—2F 29
Brunswick Clo. Rugby—3E 28
Brunswick Rd. Cov—6G 15 (5A 2)
Bruntingthorpe Way. Bin—1G 23
Brunton Clo. Bin—7K 17
Bryanston Clo. Cov—4J 17
Bryant Rd. Bay I—7E 4
Brympton Rd. Cov—6E 16
Bryn Jones Clo. Bin—1H 23
Bryn Rd. Cov—1B 16
Buccleuch Clo. Dunc—6J 31
Buchanan Rd. Rugby—1A 32
Buckfast Clo. Cov—4A 22
Buckhold Dri. Cov—3B 14
Buckingham Ri. Cov—4B 14
Buckland Rd. Cov—5H 9
Bucknill Cres. Rugby—2K 33
Buckwell La. Clift D—4J 29
(in two parts)
Budbrooke Clo. Cov—5F 11
Bulkington. —7H 5
(near Bedworth)
Bulkington. —6B 34
(near Kenilworth)
Bulkington Rd. Bed—4G 5
Bullfield Av. Cov—7J 13
Bullimore Gro. Ken—6C 34
Bull's Head La. Cov—6D 16
Bull Yd. Cov—6J 15 (5D 2)
Bulwer Rd. Cov—1G 15
Bulwick Clo. Bin—7K 17
Bungalow Est. Cvn. Pk. Longf—3B 10
Bunkers Hill La. Bret—4H 25
Burbages La. Longf—2A 10
Burbury Clo. Bed—2G 5
Burges, The. Cov—5J 15 (2E 2)
Burlington Rd. Cov—4B 16
(in two parts)
Burnaby Rd. Cov—6G 9
Burnham Rd. Cov—3C 22
Burnsall Gro. Cov—1D 20
Burnsall Rd. Cov—1C 20
Burnside. Cov—6J 17
Burnside. Rugby—7A 28
Burns Rd. Cov—5E 16
Burns Wlk. Bed—5G 5
Burrow Hill Hill Fort. —1C 8
Burrow Hill La. Cor—1D 8
Burton Clo. Alle—5C 8
Burton Green. —5G 19
Busby Clo. Bin—2H 23
Bushbery Av. Cov—7K 13
Bush Clo. Cov—5K 13
Butchers La. Cov—2C 14
Butler Clo. Ken—1E 34
Butler's Cres. Exh—5E 4
Butlers Leap. Rugby—4E 28
Butlin Rd. Cov—3J 9
Butlin Rd. Rugby—6F 29
Buttermere. Rugby—2F 29
Buttermere Clo. Bin—2H 23
Butterworth Dri. Cov—3A 20
Butt La. Alle—1B 14
Butts. Cov—6H 15 (5B 2)
Butts Rd. Cov—6G 15 (4A 2)
Byfield Pl. Bal C—4B 18
Byfield Rd. Cov—3E 14
Byron Av. Bed—4H 5
Byron St. Cov—4K 15 (1F 3)
Bywater Clo. Cov—5H 21

Cadden Dri. Cov—6B 14
Cadman Clo. Bed—3G 5
Caesar Rd. Ken—5A 34
Caithness Clo. Cov—4A 14
Calcott Ho. Cov—3D 22
Caldecote Rd. Cov—3J 15
Caldecott Ct. Rugby—5D 28
Caldecott Pl. Rugby—7E 28
Caldecott St. Rugby—7E 28
Calder Clo. Bulk—7H 5
Calder Clo. Cov—2A 22
Calmere Clo. Cov—7H 11
Caludon Castle. —3G 17
Caludon Pk. Av. Cov—3G 17
Caludon Rd. Cov—4C 16
Calvert Clo. Cov—3K 21
Calvert Clo. Rugby—2G 29
Cambridge St. Cov—3A 16
Cambridge St. Rugby—6E 28
Camden St. Cov—4C 16
Camelia Rd. Cov—5D 10
Camelot Gro. Ken—3E 34
Cameron Clo. Alle—1A 14
Campbell St. Rugby—6A 28
Campion Clo. Cov—3K 21
Campion Way. Rugby—1F 29
Campling Clo. Bulk—7H 5
Camville. Bin—6J 17
Canal Rd. Cov—7B 10
Canberra Ct. Bed—4E 4
Canberra Rd. Cov—3E 10
Canford Clo. Cov—6J 21
Canley. —3C 20
Canley Ford. Cov—3E 20
Canley Rd. Cov—2D 20
(in two parts)
Cannocks La. Cov—3D 20
Cannon Clo. Cov—3E 20
Cannon Hill Rd. Cov—4D 20
Cannon Pk. Rd. Cov—4E 20
Cannon Pk. Shop. Cen. Cov—3C 20
Canon Dri. Cov—1K 9
Canon Hudson Clo. Cov—3E 22
Canterbury Clo. Ken—5E 34
Canterbury St. Cov—4A 16 (1H 3)
Cantlow Clo. Cov—5A 14
Capmartin Rd. Cov—1H 15
Capulet Clo. Cov—3E 22
Capulet Clo. Rugby—4A 32
Caradoc Clo. Cov—1F 17
Cardale Cft. Bin—7H 17
Cardiff Clo. Cov—4F 23
Cardigan Rd. Bed—5A 4
Carding Clo. Cov—4A 14
Carew Wlk. Rugby—1J 31
Carey St. Cov—6D 10
Cargill Clo. Longf—2B 10
Carlton Clo. Bulk—6H 5
Carlton Ct. Cov—6F 15
Carlton Gdns. Cov—1G 21
Carlton Rd. Cov—6B 10
Carlton Rd. Rugby—1K 31
Carmelite Rd. Cov—6A 16 (4J 3)
Carnbroe Av. Bin—2H 23
Carnegie Clo. Cov—4D 22
Carol Green. —1D 18
Carolyn La. Ct. Rugby—6B 28
Carsal Clo. Exh—2K 9
Carter Rd. Cov—1C 22
Carthusian Rd. Cov—1J 21
Cartmel Clo. Cov—4A 14
Carver Clo. Cov—6G 17
Cascade Clo. Cov—3A 22
Cashmore Rd. Bed—5C 4
Cashmore Rd. Ken—4E 34
Cash's Bus. Cen. Cov—3K 15
Cash's La. Cov—2K 15
Casita Gro. Ken—4E 34
Caspian Way. Cov—7J 11
Cassandra Clo. Cov—6D 20
Cassino Dri. Cov—3K 21
Castle Clo. Cov—3K 21
Castle Ct. Ken—2C 34
Castle End. —5C 34
Castle Green. —3A 34

Castle Grn. *Ken* —3A **34**
Castle Gro. *Ken* —4A **34**
Castle Hill. *Ken* —3A **34**
Castle M. *Rugby* —6D **28**
Castle Pl. Ind. Est. *Cov* —4A **16** (1G **3**)
Castle Rd. *Ken* —3A **34**
Castle St. *Cov* —4A **16** (1H **3**)
Castle St. *Rugby* —6D **28**
Castle Yd. *Cov* —4F **3**
Catchems Corner. —4C 18
Catesby Rd. *Cov* —7H **9**
Catesby Rd. *Rugby* —1F **33**
Cathedral Lanes Shop. Cen. *Cov*
   —5J **15** (3E **2**)
Catherine St. *Cov* —5B **16** (2K **3**)
Cathiron La. *Harb M* —1G **27**
  (in three parts)
Cavans Clo. *Bin I* —1J **23**
Cavans Way. *Bin I* —1J **23**
Cavell Ct. *Rugby* —6F **29**
Cavendish Rd. *Cov* —6J **13**
Cawnpore Rd. *Cov* —5H **9**
Cawston. —3G 31
Cawston La. *Caw* —3G **31**
Cawston Way. *Rugby* —2J **31**
Cawthorne Clo. *Cov* —4A **16** (1J **3**)
Cecily Rd. *Cov* —2K **21**
Cedar Ct. *Alle* —2A **14**
Cedars Av. *Cov* —3E **14**
Cedars Rd. *Exh* —5F **5**
Cedars, The. *Cov* —6E **4**
Cedarwood Dri. *Bal C* —3A **18**
Cedric Clo. *Cov* —4E **22**
Celandine. *Rugby* —1G **29**
Celandine Rd. *Cov* —5F **11**
Centaur Rd. *Cov* —6F **15**
Centenary Rd. *Cov* —2D **20**
Central Av. *Cov* —6C **16**
Central Bldgs. *Cov* —7J **15** (6D **2**)
Central City Ind. Est. *Cov* —3B **16**
Central Six. *Cov* —7H **15** (6C **2**)
Chace Av. *Cov* —4D **22**
Chaceley Clo. *Cov* —7J **11**
Chadwick Clo. *Cov* —5B **14**
Chalfont Clo. *Bed* —2E **4**
Chalfont Clo. *Cov* —4B **14**
Challenge Clo. *Cov* —4K **15**
Chamberlaine St. *Bed* —3F **5**
Chamberlain Rd. *Rugby* —2K **33**
Chamberlains Grn. *Cov* —1F **15**
Chancellors Clo. *Cov* —5D **20**
Chandler Ct. *Cov* —1H **21**
Chandos St. *Cov* —5C **16**
Chantries, The. *Cov* —3A **16**
Chapel Farm Clo. *Cov* —3E **22**
Chapel Fields. —6E 14
Chapel La. *Barn* —1K **11**
Chapel La. *Cov* —3A **2**
Chapel La. *Ryton D* —7J **23**
Chapel St. *Bed* —3F **5**
  (in two parts)
Chapel St. *Cov* —5J **15** (2D **2**)
Chapel St. *Long L* —5F **27**
Chapel St. *Rugby* —6C **28**
Chapel Yd. *Cov* —3B **2**
Chard Rd. *Bin* —1F **23**
Chariot Way. *Gleb F* —2C **28**
Charity Rd. *Ker E* —1G **9**
Charlecote Rd. *Cov* —5G **9**
Charles Eaton Rd. *Bed* —3D **4**
Charlesfield Rd. *Rugby* —2C **32**
Charles St. *Cov* —4A **16** (1H **3**)
Charles St. *Rugby* —6B **28**
Charles Warren Clo. *Rugby* —6D **28**
Charlewood Rd. *Cov* —5H **9**
Charlotte St. *Rugby* —6D **28**
Charminster Dri. *Cov* —5K **21**
Charter Av. *Cov* —2H **19**
Charterhouse Rd. *Cov* —6A **16** (4J **3**)
Charter Rd. *Rugby* —2G **33**
Charwelton Dri. *Rugby* —3G **29**
Chatham Clo. *Cov* —1E **22**
Chatsworth Av. *Ken* —3E **34**
Chatsworth Ri. *Cov* —3A **22**
Chaucer Rd. *Rugby* —4B **32**
Chauntry Pl. *Cov* —5K **15** (2F **3**)
Cheadle Clo. *Cov* —3C **10**
Cheam Clo. *Cov* —6C **10**
Chelney Wlk. *Bin* —7J **17**
Chelsey Rd. *Cov* —7G **11**
Cheltenham Clo. *Bed* —2F **5**
Cheltenham Cft. *Cov* —1H **17**
Chelveston Rd. *Cov* —3E **14**
Chelwood Gro. *Cov* —6H **11**
Chenies Clo. *Cov* —5B **14**
Chepstow Clo. *Cov* —4E **22**
Chequer St. *Bulk* —7J **5**
Cheriton Clo. *Cov* —4D **14**
Cherrybrook Way. *Cov* —6E **10**

Cherry Clo. *Cov* —5K **9**
Cherry Gro. *Rugby* —2A **32**
Cherry Orchard. *Ken* —3C **34**
Cherry Way. *Ken* —3C **34**
Cherrywood Gro. *Cov* —3K **13**
Cherwell Way. *Rugby* —5H **27**
Chesford Cres. *Cov* —5D **10**
Cheshire Clo. *Rugby* —2J **31**
Chesholme Rd. *Cov* —4H **9**
Chesils, The. *Cov* —4J **21**
Chester St. *Cov* —5H **15** (2B **2**)
Chester St. *Rugby* —5E **28**
Chesterton Rd. *Cov* —1G **15**
Chestnut Av. *Ken* —5B **34**
Chestnut Fld. *Rugby* —6C **28**
Chestnut Gro. *Cov* —6A **14**
Chestnut Gro. *Wols* —6E **24**
Chestnut Rd. *Bed* —2H **5**
Chestnuts, The. *Bed* —4C **4**
Chestnuts, The. *Cov* —1D **22**
Chestnut Tree Av. *Cov* —6A **14**
Cheswick Clo. *Cov* —1C **16**
Chetwode Clo. *Cov* —4B **14**
Cheveral Av. *Cov* —2H **15**
Cheveral Rd. *Bed* —3E **4**
Cheylesmore. —2K 21
Cheylesmore. *Cov* —6J **15** (5E **2**)
Cheylesmore Shop. Pde. *Cov* —2K **21**
Chicory Dri. *Rugby* —1F **29**
Chideock Hill. *Cov* —3G **21**
Chiel Clo. *Cov* —4K **13**
Chillaton Rd. *Cov* —5H **9**
Chiltern Leys. *Cov* —4G **15**
Chilterns, The. *Cov* —4B **14**
Chingford Rd. *Cov* —3C **10**
Christchurch Rd. *Cov* —2F **15**
Christopher Hooke Ho. *Cov* —6A **10**
Chudleigh Rd. *Cov* —1J **23**
Church Clo. *Ryton D* —7J **23**
Church Ct. *Cov* —6F **9**
Church Dri. *Ken* —3B **34**
Church End. —4D 16
Churchill Av. *Cov* —6A **10**
Churchill Av. *Ken* —2C **34**
Churchill Rd. *Rugby* —1C **32**
Church La. *Berk* —5A **12**
Church La. *Cov* —7C **6**
Church La. *E Grn* —3G **13**
Church La. *Exh* —7C **4**
Church La. *Mer* —7B **6**
Church La. *T'ton* —7F **31**
Church Lawford. —4B 26
Church Pk. Clo. *Cov* —6F **9**
Church Rd. *Bag* —7A **22**
Church Rd. *Chu L* —4C **26**
Church Rd. *Ryton D* —7K **23**
Church St. *Bulk* —7J **5**
Church St. *Clift D* —4J **29**
Church St. *Cov* —4K **15**
Church St. *Rugby* —6C **28**
Church Vw. *Ryton D* —7J **23**
Church Wlk. *Alle* —2C **14**
Church Wlk. *Bed* —4F **5**
Church Wlk. *Bil* —2K **31**
Church Wlk. *Rugby* —6C **28**
Church Wlk. *T'ton* —7F **31**
Church Way. *Bed* —4F **5**
Chylds Ct. *Cov* —3A **14**
City Arc. *Cov* —6J **15** (4D **2**)
Clara St. *Cov* —6C **16**
Clare Ct. *Rugby* —6B **28**
Claremont Rd. *Rugby* —6E **28**
Claremont Wlk. *Alle* —2C **14**
Clarence Rd. *Rugby* —6A **28**
Clarence St. *Cov* —4A **16** (1J **3**)
Clarendon Rd. *Ken* —5C **34**
Clarendon St. *Cov* —7F **15**
Clarke's Av. *Ken* —5C **34**
Clark St. *Cov* —6C **16**
Claverdon Rd. *Cov* —5B **14**
Clayhill La. *Long L* —3F **27**
Clay La. *Alle* —3J **7**
Clay La. *Cov* —4C **16**
Clayton Rd. *Cov* —3E **14**
Clements St. *Cov* —5C **16**
Clennon Ri. *Cov* —7F **11**
Cleveland Rd. *Bulk* —6H **5**
Cleveland Rd. *Cov* —4C **16**
Clifden Gro. *Ken* —2E **34**
Clifford Bri. Rd. *Cov & Bin* —3H **17**
Clifton Rd. *Rugby* —6D **28**
Clifton St. *Cov* —4A **16** (1H **3**)
Clifton Ter. *Ken* —2C **34**
Clifton upon Dunsmore. —4H 29
Clinton Av. *Ken* —2A **34**
Clinton La. *Ken* —1A **34**
Clinton Rd. *Cov* —5B **10**
Clipstone Rd. *Cov* —2E **14**
Clive Rd. *Bal C* —4A **18**

Clock Towers Shop. Cen. *Rugby*
   —6C **28**
Cloister Cft. *Cov* —2H **17**
Close, The. *Bran* —4D **24**
Close, The. *Ken* —2C **34**
Cloud Grn. *Cov* —4D **20**
Clovelly Gdns. *Cov* —3E **16**
Clovelly Rd. *Cov* —3D **16**
Clover Clo. *Rugby* —1F **29**
Clyde Rd. *Bulk* —6G **5**
Coalpit Field. —4H 5
Coalpit Fields Rd. *Bed* —4G **5**
Coalpit La. *Law H* —2A **38**
Coalpit La. *Wols* —5G **25**
Coat of Arms Bri. Rd. *Cov* —3F **21**
Cobbs Rd. *Ken* —2A **34**
Cobden St. *Cov* —3A **16**
Cockerills Mdw. *Rugby* —2J **33**
Colchester St. *Cov* —5A **16** (2H **3**)
Colebrook Clo. *Cov* —6H **17**
Coleby Clo. *Cov* —2H **19**
Coleman St. *Cov* —5K **13**
Coleridge Rd. *Cov* —5E **16**
Colina Clo. *Cov* —4E **22**
Colledge Rd. *Cov* —6K **9**
Collett Wlk. *Cov* —5H **15** (1B **2**)
Colliery La. *Exh* —5F **5**
Colliery La. N. *Exh* —5F **5**
Collingwood Av. *Bil* —1K **31**
Collingwood Rd. *Cov* —6G **15** (5A **2**)
Collins Gro. *Cov* —4D **20**
Collycroft. —2F 5
Columbia Gdns. *Bed* —4H **5**
Colyere Clo. *Ker E* —1G **9**
Common La. *Cor* —1J **7**
Common La. *Ken* —1D **34**
Common La. Ind. Est. *Ken* —1E **34**
Common, The. —1D 34
Common Way. *Cov* —2C **16**
Compass Ct. *Cov* —5H **15** (3B **2**)
Compton Rd. *Cov* —5K **9**
Comrie Clo. *Cov* —2H **17**
Congleton Clo. *Cov* —5A **10**
Congreve Wlk. *Bed* —4F **5**
Conifer Clo. *Bed* —2G **5**
Conifer Ct. *Bed* —2G **5**
Conifer Paddock. *Cov* —7G **17**
Coniston Clo. *Bulk* —6J **5**
Coniston Clo. *Rugby* —3F **29**
Coniston Dri. *Cov* —4H **13**
Coniston Grange. *Ken* —3C **34**
Coniston Rd. *Cov* —7F **15**
Conrad Clo. *Rugby* —4B **32**
Conrad Rd. *Cov* —1G **15**
Constable Clo. *Bed* —1E **4**
Constable Rd. *Rugby* —1K **33**
Constance Clo. *Bed* —6D **4**
Consul Rd. *Rugby* —2B **28**
Convent Clo. *Ken* —1C **34**
Conway Av. *Cov* —1H **19**
Cook Clo. *Rugby* —2E **28**
Cooke Clo. *Longf* —3C **10**
Cook St. *Cov* —5J **15** (2E **2**)
Coombe Av. *Bin* —2H **23**
Coombe Ct. *Cov* —6J **17**
Coombe Dri. *Bin W* —2C **24**
Coombe Pk. Rd. *Cov* —6H **17**
Coombe St. *Cov* —6D **16**
Co-Operative St. *Cov* —4D **10**
Cope Arnolds Clo. *Cov* —3B **10**
Copeland. *Brow* —2E **28**
Cope St. *Cov* —5K **15** (3G **3**)
Copland Pl. *Cov* —7J **13**
Copperas St. *Cov* —5D **10**
Copper Beech Clo. *Cov* —6A **10**
Copperfield Rd. *Cov* —5D **16**
Coppice, The. *Cov* —1D **22**
Copse Dri. *Cov* —7F **7**
Copse, The. *Exh* —6E **4**
Copsewood Ter. *Cov* —6E **16**
Copthall Ter. *Cov* —7J **15** (6E **2**)
Copthorne Rd. *Cov* —7F **9**
Copt Oak Clo. *Cov* —2G **19**
Coral Clo. *Cov* —6C **14**
Corbett St. *Rugby* —4A **32**
Cordelia Way. *Rugby* —4A **32**
Corfe Clo. *Cov* —3H **17**
Corinthian Pl. *Cov* —2F **17**
Corley. —1C 8
Corley Moor. —1J 7
Corley Vw. *Ash G* —7A **4**
Cornelius St. *Cov* —1K **21**
Cornerstone Ho. *Cov* —1G **3**
Cornets End La. *Mer* —2A **12**
Cornfield, The. *Cov* —7E **16**
Corn Flower Dri. *Rugby* —1F **29**
Cornhill Gro. *Ken* —3E **34**
Cornwallis Rd. *Rugby* —1H **31**
Cornwall Rd. *Cov* —7A **16** (6H **3**)

Coronation Rd. *Chu L* —5B **26**
Coronation Rd. *Cov* —4B **16** (1J **3**)
Coronel Av. *Longf* —3A **10**
Corporation St. *Cov* —5J **15** (4D **2**)
  (in three parts)
Corporation St. *Rugby* —6C **28**
Corrie Ho. *Cov* —4B **2**
Cosford La. *Swift I* —1B **28**
Cotman Clo. *Bed* —2E **4**
Coton Rd. *Rugby* —2J **33**
Cotswold Dri. *Cov* —6J **21**
Cottage Farm Lodge. *Cov* —6G **9**
Cottage Farm Rd. *Cov* —6G **9**
Cottage Leap. *Rugby* —5F **29**
Cotterell Rd. *Rugby* —3B **28**
Cottesbrook Clo. *Bin* —7G **17**
Cotton Dri. *Ken* —2E **34**
Coundon. —1E 14
Coundon Grn. *Cov* —1E **14**
Coundon Rd. *Cov* —4H **15** (1B **2**)
Coundon St. *Cov* —4H **15** (2B **2**)
Coundon Wedge Dri. *Alle* —6D **8**
Countess Cft., The. *Cov* —2K **21**
Courtaulds Ind. Est. *Cov* —2K **15**
Courtaulds Way. *Cov* —2K **15**
Courthouse Cft. *Ken* —4E **34**
Court House Green. —7D 10
Courtland Av. *Cov* —3F **15**
Court Leet. *Bin W* —2B **24**
Ct. Leet Rd. *Cov* —2A **22**
Courtyard, The. *Ken* —4E **34**
Coventry. —6J 15 (4E 2)
Coventry Bus. Pk. *Cov* —7C **14**
Coventry Canal Basin. *Cov* —1E **2**
Coventry Cathedral. —5K 15 (3F 3)
Coventry Cathedral Vis. Cen.
   —5K **15** (3F **3**)
Coventry Eastern By-Pass. *Bin & Cov*
   —5F **23**
Coventry Old Cathedral. —6K 15 (4F 3)
Coventry Rd. *Bag* —6A **22**
Coventry Rd. *Barn & Bulk* —7H **5**
Coventry Rd. *Bed* —5F **5**
Coventry Rd. *Berk* —5B **12**
Coventry Rd. *Bret* —3J **25**
Coventry Rd. *Chu L* —5C **26**
Coventry Rd. *Dunc* —6D **30**
Coventry Rd. *Griff & Nun* —1F **5**
Coventry Rd. *Ken* —2B **34**
Coventry Rd. *Ken & Cov* —7C **20**
Coventry Rd. *Exhall, Exh* —7E **4**
Coventry St. *Cov* —4C **16**
Coventry Tourist Info. Cen.
   —6K **15** (4F **3**)
Coventry Toy Mus. —6K 15 (5G 3)
Coventry Trad. Est. *Cov* —6E **22**
Coventry University Technology Pk.
  (in two parts) *Cov* —7K **15** (6F **3**)
Cove Pl. *Cov* —1E **16**
Coverley Pl. *Rugby* —6A **28**
Cowan Clo. *Rugby* —1J **31**
Cowley Rd. *Cov* —4F **17**
Cox Cres. *Dunc* —6J **31**
Cox St. *Cov* —5K **15** (2G **3**)
Cozens Clo. *Bed* —2E **4**
Crabmill La. *Cov* —1B **16**
Crackley. —1D 34
Crackley Cotts. *Ken* —1D **34**
Crackley Cres. *Ken* —1D **34**
Crackley La. *Ken* —5J **19** & 1B **34**
  (in two parts)
Craigends Av. *Bin* —3H **23**
Crakston Clo. *Cov* —6G **17**
Crampers Fld. *Cov* —3G **15**
Cranborne Chase. *Cov* —3H **17**
Craner's Rd. *Cov* —4B **16**
Cranford Rd. *Cov* —4D **14**
Crathie Clo. *Cov* —2H **17**
Craven Av. *Bin W* —2A **24**
Craven Rd. *Rugby* —5D **28**
Craven St. *Cov* —6F **15**
Crecy Rd. *Cov* —2A **22**
Crescent Av. *Cov* —6E **16**
Crescent, The. *Ker E* —1F **9**
Crescent, The. *Law H* —4C **30**
Cressage Rd. *Cov* —2J **17**
Crew La. *Ken* —2E **34**
Cricket Clo. *Cov* —5F **15**
Crick Rd. *Rugby & Hillm* —2K **33**
Critchley Dri. *Dunc* —7K **31**
Croft Fields. *Bed* —4F **5**
Croft Pool. *Bed* —4D **4**
Croft Rd. *Bed* —4D **4**
Croft Rd. *Cov* —6H **15** (4C **2**)
Croft, The. *Bulk* —7H **5**
Croft, The. *Longf* —3B **10**
Croft, The. *Mer* —6A **6**
Cromarty Clo. *Cov* —4A **14**
Cromes Wood. *Cov* —7H **13**

Cromwell La. *Burt G & Cov* —5F **19**
Cromwell Rd. *Rugby* —1E **32**
Cromwell St. *Cov* —2B **16**
Crondal Rd. *Exh* —7F **5**
Croome Clo. *Cov* —4F **15**
Crosbie Rd. *Cov* —5E **14**
Cross Cheaping. *Cov* —5J **15** (3E **2**)
(in two parts)
Crossley Ct. *Cov* —1B **16**
Cross Point Bus. Pk. *Cross P* —7K **13**
Cross Rd. *Cov* —7A **10**
Cross Rd. *Ker E* —1F **9**
Cross Rd. Ind. Est. *Cov* —1B **16**
Cross St. *Cov* —4K **15** (1G **3**)
Cross St. *Long L* —4G **27**
Cross St. *Rugby* —5E **28**
Crossway Rd. *Cov* —5H **21**
Crowmere Rd. *Cov* —1H **17**
Crown Grn. *Cov* —5A **10**
Crowthorns. *Rugby* —2E **28**
Croxhall St. *Bed* —4A **6**
Croydon Clo. *Cov* —3A **22**
Crummock Clo. *Cov* —4K **9**
Cryfield Grange Rd. *Ken & Cov*
—7C **20**
Cryfield Halls. *Cov* —5B **20**
Cryfield Heights. *Cov* —7D **20**
Cryfield Hurst Flats. *Cov* —5B **20**,
Cryfield Redfern Flats. *Cov* —6B **20**
Cubbington Rd. *Cov* —5C **10**
Cuckoo La. *Cov* —5K **15** (3F **3**)
Culworth Clo. *Brow* —2G **29**
Culworth Ct. *Cov* —1A **16**
Culworth Row. *Cov* —7A **10**
Cumberland Wlk. *Cov* —2J **17**
Cumbria Clo. *Cov* —5G **15** (3A **2**)
Cunningham Way. *Rugby* —7J **27**
Curie Clo. *Rugby* —6F **29**
Curriers Clo. *Char I* —2H **19**
Curriers Clo. Ind. Est. *Cov* —2H **19**
Curtis Rd. *Cov* —2F **17**
Curzon Av. *Cov* —7A **10**
Cygnet Ho. *Cov* —1G **3**
Cymbeline Way. *Rugby* —4K **31**
Cypress Cft. *Bin* —1H **23**

Daffern Rd. *Exh* —5E **4**
Daimler Rd. *Cov* —3J **15**
Daintree Cft. *Cov* —2J **21**
Dalby Clo. *Bin* —1G **23**
Dalehouse La. *Ken* —2D **34**
Dale St. *Rugby* —5C **28**
Daleway Rd. *Cov* —6H **21**
Dalkeith Av. *Rugby* —3K **31**
Dallington Rd. *Cov* —2E **14**
Dalmeny Rd. *Cov* —7A **10**
Dalton Clo. *Chu L* —3B **26**
Dalton Gdns. *Cov* —4H **17**
Dalton Rd. *Bed* —4D **4**
Dalton Rd. *Cov* —1H **21** (7B **2**)
Dalwood Way. *Cov* —3D **10**
Dame Agnes Gro. *Cov* —7D **10**
Dane Rd. *Cov* —4C **16**
Daneswood Rd. *Bin W* —2C **24**
Daphne Clo. *Cov* —4E **10**
Dark La. *Bed* —5B **4**
Dark La. *Cov* —4J **15**
Darlaston Ct. *Mer* —6B **6**
Darlaston Row. *Mer* —6A **6**
Darnford Clo. *Cov* —1H **17**
Darrach Clo. *Cov* —6G **11**
Dartmouth Rd. *Cov* —3E **16**
Darwin Clo. *Cov* —3J **15**
Darwin Ct. *Bed* —4E **4**
Datchet Clo. *Cov* —4C **14**
D'Aubeny Rd. *Cov* —2C **20**
Davenport Rd. *Cov* —1H **21** (7C **2**)
Daventry Rd. *Cov* —2J **21**
Daventry Rd. *Dunc* —7K **31**
David Rd. *Cov* —6A **16** (5J **3**)
David Rd. *Exh* —6D **4**
David Rd. *Rugby* —2K **31**
Davies Rd. *Exh* —6D **4**
Dawes Clo. *Cov* —4C **16**
Dawley Wlk. *Cov* —1J **17**
Dawlish Dri. *Cov* —4K **21**
Dawson Rd. *Cov* —7D **16**
Days Clo. *Cov* —5A **16** (2J **3**)
Day's La. *Cov* —5A **16** (2J **3**)
Daytona Dri. *Alle* —7F **7**
Deacon Clo. *Rugby* —1E **32**
Deane Pde. *Hillm* —2J **33**
Deane Rd. *Hillm* —2J **33**
Deanston Cft. *Cov* —6H **11**
Dean St. *Cov* —5C **16**
Deans Way. *Cov* —1K **9**
Deasy Ho. *Cov* —4D **22**
De Compton Clo. *Ker E* —1G **9**

Deedmore Rd. *Cov* —7E **10**
Deegan Clo. *Cov* —3C **16**
Deepmore Rd. *Rugby* —2K **31**
Deerdale Ter. *Bin* —1H **23**
Deerdale Way. *Bin* —1H **23**
Deerhurst M. *Dunc* —7J **31**
Deerhurst Rd. *Cov* —5H **9**
Deerings Rd. *Rugby* —2H **33**
Deer Leap, The. *Ken* —2D **34**
Delage Clo. *Cov* —3D **10**
Delamere Rd. *Bed* —4D **4**
Delaware Rd. *Cov* —4J **21**
Delf Ho. *Cov* —6F **11**
Delhi Av. *Cov* —6K **9**
Delius St. *Cov* —5J **13**
Dell Clo. *Cov* —4E **22**
De Montfort Rd. *Ken* —2A **34**
De Montfort Way. *Cov* —3C **20**
Dempster Rd. *Bed* —2E **4**
Denbigh Rd. *Cov* —2E **14**
Dencer Rd. *Ken* —3E **34**
Denewood Way. *Ken* —2E **34**
(in two parts)
Denham Av. *Cov* —4B **14**
Dennis Rd. *Cov* —3D **16**
Denshaw Cft. *Cov* —7J **11**
Denton Clo. *Ken* —2A **34**
Dering Clo. *Cov* —7E **10**
Deronda Clo. *Bed* —3E **4**
Derry Clo. *Wols* —5E **24**
Dersingham Dri. *Cov* —5D **10**
Derwent Clo. *Cov* —4J **13**
Derwent Clo. *Rugby* —3E **28**
Derwent Rd. *Bed* —4E **4**
Derwent Rd. *Cov* —5G **9**
Despard Rd. *Cov* —3H **13**
Devereux Rd. *Cov* —7G **13**
Devon Gro. *Cov* —2D **16**
Devoran Clo. *Exh* —6F **5**
Dewar Gro. *Rugby* —7G **29**
Dew Clo. *Dunc* —7J **31**
Dewis Ho. *Cov* —6D **10**
Dewsbury Av. *Cov* —4H **21**
Dialhouse La. *Cov* —4K **13**
Diana Dri. *Cov* —6G **11**
Dickens Rd. *Cov* —6G **9**
Dickens Rd. *Rugby* —4B **32**
Dickinson Ct. *Rugby* —1C **32**
Didsbury Rd. *Exh* —5E **4**
Digby Clo. *Alle* —2B **14**
Digby Pl. *Mer* —6A **6**
Dilcock Way. *Cov* —2K **19**
Dillam Clo. *Longf* —3C **10**
Dillotford Av. *Cov* —2J **21**
Dingle Clo. *Cov* —2G **15**
Dingley Rd. *Bulk* —7H **5**
Discovery Way. *Bin* —2J **23**
Ditton Clo. *Rugby* —1J **31**
Dockers Clo. *Bal C* —2A **18**
Dodgson Clo. *Longf* —3C **10**
Doe Bank La. *Cov* —5G **15** (3A **2**)
Dogberry Clo. *Cov* —3E **22**
Dolomite Av. *Cov* —1F **17**
Doncaster Clo. *Cov* —1F **17**
Done-Cerce Clo. *Dunc* —7J **31**
Donegal Clo. *Cov* —2A **20**
Donnington Av. *Cov* —3E **14**
Doone Clo. *Cov* —2G **17**
Dorchester Way. *Cov* —3H **17**
Dormer Harris Av. *Cov* —7K **13**
Dorney Clo. *Cov* —1E **20**
Dorothy Powell Way. *W'grve S*
—6H **11**
Dorset Rd. *Cov* —3J **15**
Douglas Ho. *Cov* —1G **3**
Douglas Rd. *Rugby* —3E **28**
Doulton Clo. *Cov* —6G **11**
Dove Clo. *Bed* —2G **5**
(nr. Furnace Rd.)
Dove Clo. *Bed* —2C **4**
(nr. Woodlands La.)
Dovecote Clo. *Cov* —3D **14**
Dovecotes, The. *Alle* —3B **14**
Dove Dale. *Cov* —2E **28**
Dovedale Av. *Cov* —5B **10**
Dover St. *Cov* —5H **15** (3C **2**)
Dowley Cft. *Bin* —7K **17**
Downderry Way. *Cov* —2C **16**
Downing Cres. *Bed* —2G **5**
Downton Clo. *Cov* —7J **11**
Dowty Av. *Bed* —4H **5**
Doyle Dri. *Blac I* —4B **10**
Drake St. *Cov* —1K **15**
Draper Clo. *Ken* —4E **34**
Draper's Fields. —4J 15 (1E 2)
Drapers Fields. *Cov* —4J **15** (1E **2**)
Draycott Rd. *Cov* —1D **16**
Drayton Cres. *Cov* —3H **13**
Drayton Leys. *Rugby* —3C **32**

Drayton Rd. *Bed* —4H **5**
Drew Cres. *Ken* —4C **34**
Dreyer Clo. *Rugby* —7J **27**
Drinkwater Ho. *Cov* —6H **15** (4B **2**)
(off Butts)
Drive, The. *Cov* —5F **17**
Drive, The. *Dunc* —6K **31**
Dronfield Rd. *Cov* —5D **16**
Droylesdon Pk. Rd. *Cov* —6H **21**
Druid Rd. *Cov* —5D **16**
Drummond Clo. *Cov* —1F **15**
Drury La. *Rugby* —6C **28**
Dryden Clo. *Ken* —5B **34**
Dryden Pl. *Rugby* —6A **28**
Dryden Wlk. *Rugby* —6A **28**
Dudley Rd. *Ken* —6A **34**
Dudley St. *Cov* —6C **10**
Duffy Pl. *Rugby* —2J **33**
Dugdale Rd. *Cov* —2G **15**
Duggins La. *Cov* —1E **18**
Duke Barn Fld. *Cov* —3C **16**
Dukes Jetty. *Rugby* —6C **28**
Duke St. *Cov* —6F **15**
Duke St. *Rugby* —5C **28**
Dulverton Av. *Cov* —3D **14**
Dulverton Ct. *Cov* —4D **14**
Duncan Dri. *Rugby* —4K **31**
Dunchurch Highway. *Cov* —2A **14**
Dunchurch Rd. *Rugby* —5A **32**
Dunchurch Trad. Est. *Dunc* —5D **30**
Duncroft Av. *Cov* —1F **15**
Dunhill Av. *Cov* —5J **13**
Dunnerdale. *Brow* —2F **29**
Dunnose Clo. *Cov* —7A **10**
Dunrose Clo. *Cov* —6G **17**
Dunsmore Av. *Cov* —3E **22**
Dunsmore Av. *Rugby* —2G **33**
Dunsmore Heath. *Dunc* —7J **31**
Dunster Pl. *Cov* —4K **9**
Dunsville Dri. *Cov* —7H **11**
Dunvegan Clo. *Cov* —6J **17**
Dunvegan Clo. *Ken* —4E **34**
Durbar Av. *Cov* —7K **9**
Durham Clo. *Ker E* —3F **9**
Durham Cres. *Alle* —1B **14**
Dutton Rd. *Ald I* —4F **11**
Dyer's La. *Wols* —6E **24**
Dymond Rd. *Cov* —4H **9**
Dysart Clo. *Cov* —4A **16** (1H **3**)
Dyson Clo. *Rugby* —1H **33**
Dyson St. *Cov* —5J **13**

Eacott Clo. *Cov* —4G **9**
Eagle La. *Ken* —5B **34**
Eagle St. *Cov* —3K **15**
Eagle St. E. *Cov* —3K **15**
Earl's Cft., The. *Cov* —2K **21**
Earlsdon. —1F 21 (7A 2)
Earlsdon Av. N. *Cov* —6D **14**
Earlsdon Av. S. *Cov* —7G **15** (7A **2**)
Earlsdon Bus. Cen. *Cov* —1F **21**
Earlsdon St. *Cov* —1F **21**
Earl St. *Bed* —4G **5**
Earl St. *Cov* —6K **15** (4F **3**)
Earl St. *Rugby* —6D **28**
Earls Wlk. *Bin W* —2B **24**
Easedale Clo. *Cov* —3H **21**
East Av. *Bed* —4H **5**
East Av. *Cov* —5C **16**
Eastbourne Clo. *Cov* —2E **14**
Eastcotes. *Cov* —7B **14**
Eastern Grn. Rd. *Cov* —5K **13**
Eastfield Pl. *Rugby* —6C **28**
Eastlands Gro. *Cov* —4F **14**
Eastlands Pl. *Rugby* —6F **29**
Eastlands Rd. *Rugby* —6F **29**
Eastleigh Av. *Cov* —2F **21**
East St. *Cov* —5A **16** (3J **3**)
East St. *Rugby* —5F **29**
E. Union St. *Rugby* —7C **28**
Easy La. *Rugby* —6B **28**
Eathorpe Clo. *Cov* —6E **10**
Eaton Rd. *Cov* —1F **15** (6D **2**)
Eaves Green. —5D 6
Eaves Grn. La. *Mer* —6C **6**
Ebbw Va. Ter. *Cov* —2K **21**
Ebourne Clo. *Ken* —4C **34**
Ebro Cres. *Bin* —7H **17**
Eburne Rd. *Cov* —4D **10**
Eccles Clo. *Cov* —7E **10**
Ecton Leys. *Rugby* —3C **32**
Edale Way. *Cov* —1C **16**
Eddie Miller Ct. *Bed* —4F **5**
Eden Clo. *Ken* —4D **34**
Eden Rd. *Cov W* —6J **11**
Eden Rd. *Rugby* —1H **33**
Eden St. *Cov* —1B **16**

Edgecote Clo. *Rugby* —1H **33**
Edgefield Rd. *Cov* —7J **11**
Edgehill Pl. *Cov* —7G **13**
Edgwick. —7A 10
Edgwick Pk. Ind. Est. *Cov* —7B **10**
Edgwick Rd. *Cov* —1B **16**
Edinburgh Way. *Long L* —4H **27**
Edingale Rd. *Cov* —4A **10**
Edmondson Clo. *Dunc* —6K **31**
Edmund Rd. *Cov* —6C **10**
Edward Bailey Clo. *Bin* —2G **23**
Edward Rd. *Bed* —3G **5**
Edward Rd. *Cov* —4B **16** (1K **3**)
(CV1)
Edward Rd. *Cov* —4G **9**
(CV6)
Edward St. *Cov* —3A **16**
Edward St. *Rugby* —5B **28**
Edward Tyler Rd. *Exh* —5E **4**
Edyth Rd. *Cov* —4G **17**
Edyvean Clo. *Rugby* —4A **32**
Egerton Clo. *Rugby* —3B **28**
Elborow St. *Rugby* —6C **28**
Elderberry Way. *Cov* —2D **16**
Elder Clo. *Rugby* —1H **31**
Eld Rd. *Cov* —1A **16**
Elgar Rd. *Cov* —7D **10**
Eliot Ct. *Bil* —6A **24**
Elizabeth La. *Ken* —3A **34**
Elizabeth Way. *Long L* —4H **27**
Elkington St. *Cov* —7B **10**
Ellacombe Rd. *Cov* —7F **11**
Ellesmere Rd. *Bed* —4E **4**
Elliots Fld. Retail Pk. *Rugby* —2D **28**
Elliott Ct. *Cov* —2F **21**
Ellys Rd. *Cov* —3J **15**
Elmbank Rd. *Ken* —2A **34**
Elm Clo. *Bin W* —2A **24**
Elm Ct. *Cov* —7G **7**
Elmdene Clo. *Wols* —5E **24**
Elmdene Rd. *Ken* —4D **34**
Elm Gro. *Bal C* —3A **18**
Elmhurst Rd. *Cov* —3C **10**
Elmore Clo. *Cov* —1F **23**
Elmore Rd. *Rugby* —1B **32**
Elmsdale Av. *Cov* —3A **16**
Elms Dri. *Rugby* —2H **33**
Elms Paddock, The. *Clift D* —4H **29**
Elms, The. *Bed* —4C **4**
Elm Tree Av. *Cov* —4A **14**
Elm Tree Rd. *Bulk* —7K **5**
Elmwood Av. *Cov* —3F **15**
Elmwood Clo. *Bal C* —2A **18**
Elmwood Ct. *Cov* —4J **15** (1D **2**)
Elphin Clo. *Cov* —4G **9**
Elsee Rd. *Rugby* —6D **28**
Elter Clo. *Rugby* —2F **29**
Eltham Rd. *Cov* —2A **22**
Elwy Circ. *Ash G* —7A **4**
Ely Clo. *Cov* —2J **17**
Embassy Wlk. *Cov* —7F **11**
Emerson Rd. *Cov* —5E **16**
Emery Clo. *Cov* —1F **15**
Emperor Way. *Gleb F* —2B **28**
Empire Rd. *Cov* —6J **13**
Empress Arc. *Cov* —6D **16**
Emscote Rd. *Cov* —6E **16**
Ena Rd. *Cov* —3K **15**
Endemere Rd. *Cov* —7K **9**
Enfield Rd. *Cov* —5D **16**
Engleton Rd. *Cov* —2G **15**
Ennerdale. *Rugby* —2E **28**
Ennerdale La. *Cov* —4H **17**
Ensign Bus. Cen. *Cov* —3K **19**
Ensign Clo. *Cov* —7H **13**
Epsom Clo. *Bed* —2F **5**
Epsom Dri. *Cov* —3E **22**
Epsom Rd. *Rugby* —1K **31**
Erica Av. *Bed* —4D **4**
Eric Grey Clo. *Cov* —3C **16**
Eric Inott Ho. *Cov* —3C **16**
Erithway Rd. *Cov* —5H **21**
Ernest Richards Rd. *Bed* —2F **5**
Ernsford Av. *Cov* —7D **16**
Esher Dri. *Cov* —2A **22**
Eskdale. *Rugby* —1E **28**
Eskdale Wlk. *Cov* —2F **23**
Essex Clo. *Cov* —5B **14**
Essex Clo. *Ken* —6A **34**
Essex St. *Rugby* —5C **28**
Esterton Clo. *Cov* —5J **9**
Ethelfield Rd. *Cov* —5D **16**
Ettington Rd. *Cov* —5A **14**
Eustace Rd. *Bulk* —7K **5**
Euston Cres. *Cov* —2E **22**
Evans Clo. *Bed* —3G **5**
Evans Rd. *Rugby* —7J **27**
Evelyn Av. *Cov* —5A **10**
Evenlode Cres. *Cov* —3F **15**

Everard Clo. *Clift D* —4J **29**
Everdon Clo. *Rugby* —2F **33**
Everdon Rd. *Cov* —5J **9**
(in two parts)
Everest Rd. *Rugby* —2A **32**
Eversleigh Rd. *Cov* —1E **14**
Evesham Wlk. *Cov* —4D **20**
Evreux Way. *Rugby* —6C **28**
Exeter Clo. *Cov* —1F **23**
Exhall. —7C 4
Exhall Basin. *Longf* —2D **10**
Exhall Grn. *Exh* —7D **4**
Exhall Mobile Homes. *Ash G* —7A **4**
Exhall Rd. *Ker E* —1F **9**
Exminster Rd. *Cov* —4A **22**
Exmouth Clo. *Cov* —1E **16**
Exton Clo. *Ash G* —7A **4**
Eydon Clo. *Rugby* —3G **29**

Fabian Clo. *Cov* —2F **23**
Fairbanks Clo. *Cov* —1J **17**
Fairbourne Way. *Cov* —7E **8**
Faircroft. *Ken* —5B **34**
Fairfax St. *Cov* —5K **15** (3F **3**)
Fairfield. *Exh* —5E **4**
Fairfield Ct. *Cov* —2C **22**
Fairfield Ri. *Mer* —6A **6**
Fairlands Pk. *Cov* —4E **20**
Fairmile Clo. *Bin* —1E **22**
Fairview Wlk. *Cov* —5A **10**
Fairway Ct. *Rugby* —5F **29**
Fairway Ri. *Ken* —2E **34**
Fairways Clo. *Cov* —2A **14**
Falcon Av. *Bin* —1H **23**
Falkener Ho. *Cov* —1A **16**
Falkland Clo. *Char I* —2H **19**
Falstaff Dri. *Rugby* —5K **31**
Falstaff Rd. *Cov* —6J **13**
Fancott Dri. *Ken* —2B **34**
Faraday Rd. *Rugby* —1E **32**
Farber Rd. *Cov* —2J **17**
Farcroft Av. *Cov* —4H **13**
Fareham Av. *Rugby* —2G **33**
Far Gosford St. *Cov* —6A **16** (4H **3**)
Farlow Clo. *Cov* —2C **16**
Farman Rd. *Cov* —6F **15**
Farm Clo. *Cov* —4H **9**
Farmcote Lodge. *Cov —3D* **10**
(off Loach Dri.)
Farmcote Rd. *Cov* —3D **10**
Farmer Ward Rd. *Ken* —4C **34**
Farm Gro. *Rugby* —1E **32**
Farm Rd. *Ken* —6A **34**
Farmside. *Cov* —4F **23**
Farmdale Av. *Cov* —1E **22**
Farndon Clo. *Bulk* —6H **5**
Farr Dri. *Cov* —6B **14**
Farren Rd. *Cov* —4F **17**
Faseman Av. *Cov* —5K **13**
Faulconbridge Av. *Cov* —4J **13**
Fawley Clo. *Cov* —3F **23**
Fawsley Leys. *Rugby* —3C **32**
Faygate Clo. *Cov* —5J **17**
Featherbed La. *Cov* —4A **20**
Featherbed La. *Rugby* —2J **33**
Fellows Way. *Hillm* —3A **32**
Felton Clo. *Cov* —6G **11**
Fennell Ho. *Cov* —4B **2**
Fenside Av. *Cov* —5K **21**
Fenwick Dri. *Rugby* —2J **33**
Fern Clo. *Cov* —5D **10**
Fern Clo. *Rugby* —1F **29**
Ferndale Dri. *Ken* —6C **34**
Ferndale Rd. *Bin W* —2B **24**
Ferndown Clo. *Cov* —5K **13**
Ferndown Ct. *Rugby* —1A **32**
Ferndown Rd. *Rugby* —1A **32**
Ferndown Ter. *Rugby* —1A **32**
Fernhill Clo. *Ken* —2A **34**
Ferrers Clo. *Cov* —6K **13**
Ferrieres Clo. *Dunc* —7J **31**
Fetherstone Cres. *Ryton D* —7K **23**
Field Clo. *Ken* —3A **34**
Fieldgate La. *Ken* —2A **34**
Fieldgate Lawn. *Ken* —2B **34**
Fielding Clo. *Cov* —2J **17**
Field March. *Cov* —3G **23**
Fieldside La. *Cov* —5H **17**
Field Vw. Clo. *Ker E* —6E **4**
Fife Rd. *Cov* —6F **15**
Fillongley Rd. *Mer* —6A **6**
Finch Clo. *Cov* —5J **9**
Findon Clo. *Bulk* —6J **5**
Fingal Clo. *Cov* —3E **22**
Fingest Clo. *Cov* —4B **14**
Finham. —6J 21
Finham Cres. *Ken* —2D **34**

Finham Flats. *Ken* —2D **34**
Finham Grn. Rd. *Cov* —6H **21**
Finham Gro. *Cov* —6J **21**
Finham Rd. *Ken* —2D **34**
Finlay Ct. *Cov* —7K **15** (6E **2**)
Finmere. *Rugby* —3F **29**
Finnemore Clo. *Cov* —4H **21**
Fir Gro. *Cov* —6A **14**
Firleigh Dri. *Bulk* —6K **5**
Firs Dri. *Rugby* —7B **28**
First Av. *Cov* —7E **16**
Firs, The. *Bed* —4C **4**
Firs, The. *Cov* —1G **21**
Firs, The. *Mer* —6A **6**
Fir Tree Av. *Cov* —6A **14**
Fisher Av. *Rugby* —2G **33**
Fisher Rd. *Cov* —7A **10**
Fishponds Rd. *Ken* —5A **34**
Fitzalan Clo. *Chu L* —3B **26**
Fitzroy Clo. *Cov* —2K **17**
Fivefield Rd. *Ker E* —2D **8**
Flamborough Clo. *Bin* —1H **23**
Flaunden Clo. *Cov* —4B **14**
Flavell St. *Cov* —3B **16**
Flecknose St. *Cov* —3E **22**
Fleet Cres. *Rugby* —7G **29**
Fleet Clo. *Cov* —6J **15** (4D **2**)
Fleet St. *Cov* —5H **15** (3D **2**)
Fletchamstead Highway. *Cov* —6C **14**
Fletchworth Ga. *Cov* —1E **22**
Flint's Green. —3F 13
Florence Clo. *Bed* —6D **4**
Flowerdale Dri. *Cov* —2D **16**
Flude Rd. *Cov* —1J **9**
Flynt Av. *Cov* —2A **14**
Foleshill. —6C 10
Foleshill Rd. *Cov* —4J **15** (1E **2**)
Folkland Grn. *Cov* —1F **15**
Fontmell Clo. *Cov* —4J **17**
Ford St. *Cov* —5K **15** (2G **3**)
Fordwell Clo. *Cov* —5F **15**
Foreland Way. *Cov* —4G **9**
Foresters Pl. *Rugby* —3K **33**
Foresters Rd. *Cov* —3A **22**
Forfield Rd. *Cov* —1K **19**
Forge Rd. *Ken* —2C **34**
Forge Way. *Cov* —4J **9**
Forknell Av. *Cov* —3E **16**
Fornside Clo. *Rugby* —2F **29**
Forrest Rd. *Ken* —4A **34**
Forum Dri. *Rugby* —3C **28**
Fosse, The. *Wols* —5G **25**
Fosse Way. *Bret* —4H **25**
Fosseway Rd. *Cov* —5H **21**
Fosterd Rd. *Rugby* —4B **28**
Foster Rd. *Cov* —1G **15**
Founder Clo. *Cov* —1K **19**
Four Lanes End. —5B 4
Four Oaks. —2A 12
Four Pounds Av. *Cov* —5F **15**
Fowler Rd. *Cov* —3H **15** (1B **2**)
Fox Clo. *Rugby* —1K **33**
Foxford Cres. *Cov* —3D **10**
Foxglove Clo. *Cov* —5J **9**
Foxglove Clo. *Rugby* —1G **29**
Foxon's Barn Rd. *Rugby* —3E **28**
Foxton Rd. *Bin* —7G **17**
Framlingham Gro. *Ken* —2E **34**
Frampton Wlk. *Cov* —4H **17**
Frances Cres. *Bed* —3E **4**
Franciscan Rd. *Cov* —1J **21**
Francis Rd. *Bag* —6A **22**
Francis St. *Cov* —1A **16**
Frankland Rd. *Cov* —6C **10**
Franklin Gro. *Cov* —7J **13**
Frankpledge Rd. *Cov* —2A **22**
Frankton Av. *Cov* —4J **21**
Frank Walsh Ho. *Cov* —4K **15**
Frankwell Dri. *Cov* —6G **11**
Fraser Rd. *Cov* —6G **9**
Frederick Neal Av. *Cov* —4H **13**
Frederick Press Way. *Rugby* —6B **28**
Frederick St. *Rugby* —6B **28**
Fred Lee Gro. *Cov* —5K **21**
Freeburn Causeway. *Cov* —2C **20**
Freehold St. *Cov* —3B **16**
Freeman Rd. *Cov* —3B **16**
Freeman St. *Cov* —2B **16**
Freeman's Way. *Cov* —6J **15** (5D **2**)
Freemantle Rd. *Rugby* —7J **27**
Freshfield Clo. *Cov* —6C **8**
Fretton Clo. *Cov* —1B **16**
Frevill Rd. *Cov* —7D **10**
Friars Clo. *Bin W* —2C **24**
Friars Rd. *Cov* —6J **15** (6E **2**)
Friends Clo. *Bag* —6K **21**
Frilsham Way. *Cov* —4B **14**
Frisby Rd. *Cov* —6J **13**
Friswell Dri. *Cov* —7B **10**

Friswell Ho. *Cov* —7F **11**
Frobisher Rd. *Cov* —4J **21**
Frobisher Rd. *Rugby* —1J **31**
Frogmere Clo. *Cov* —2B **14**
Frythe Clo. *Ken* —2E **34**
Fuchsia Clo. *Cov* —5J **9**
Fulbrook Rd. *Cov* —6E **10**
Fullers Clo. *Cov* —1F **15**
Fullwood Clo. *Ald I* —5G **11**
Furnace Rd. *Bed* —2H **5**
Furness Clo. *Rugby* —2F **29**
Fylde Ho. *Cov* —4F **17**
Fynford Rd. *Cov* —3H **15**

Gable Clo. *Rugby* —2K **31**
Gabor Clo. *Rugby* —3E **28**
Gainford Ri. *Cov* —5H **17**
Gainsborough Cres. *Hillm* —1K **33**
Gainsborough Dri. *Bed* —2E **4**
Galey's Rd. *Cov* —1K **21**
Gallagher Bus. Pk. *Cov* —2A **10**
Gallagher Retail Pk. *Cov* —7B **10**
Gallagher Rd. *Bed* —4E **4**
Gallagher Way. *Cov* —1B **16**
Galliards, The. *Cov* —5D **20**
Galmington Dri. *Cov* —3H **21**
Garden Flats. *Cov* —3H **13**
Garden Gro. *Bed* —6D **4**
Gardenia Dri. *Alle* —2A **14**
Gardens, The. *Ken* —5C **34**
Gardens, The. *T'ton* —7F **31**
Gardner Ho. *Cov* —4B **2**
Gardner Way. *Ken* —6C **34**
Garlick Dri. *Ken* —2E **34**
Garratt Clo. *Long L* —4H **27**
Garrick Clo. *Cov* —4G **13**
Garth Cres. *Bin* —1F **23**
Garth Ho. *Cov* —2F **23**
Garyth Williams Clo. *Rugby* —2A **32**
Gas St. *Rugby* —6D **28**
Gatehouse Clo. *Hillm* —2J **33**
Gatehouse La. *Bed* —4E **4**
Gateside Rd. *Cov* —5A **10**
Gaulby Wlk. *Bin* —1H **17**
Gaveston Rd. *Cov* —2E **14**
Gaydon Clo. *Cov* —7C **10**
Gayer St. *Cov* —6C **10**
Gayhurst Clo. *Bin* —1A **23**
Gaza Clo. *Cov* —7A **14**
Gazelle Clo. *Cov* —5A **16** (2H **3**)
Gentian Way. *Rugby* —1G **29**
Geoffrey Clo. *Cov* —3D **16**
George Eliot Av. *Bed* —4H **5**
George Eliot Rd. *Cov* —3K **15**
George Hodgkinson Clo. *Cov* —5K **13**
George Marston Rd. *Bin* —7G **17**
George Pk. Clo. *Cov* —6E **10**
George Poole Ho. Cov —6H **15** *(4B 2)*
(off Butts)
George Robertson Clo. *Bin* —2G **23**
George St. *Bed* —3F **5**
George St. *Cov* —3K **15**
(in two parts)
George St. *Rugby* —6B **28**
George St. Ringway. *Bed* —3F **5**
Gerard Av. *Cov* —1B **20**
Gibbet Hill. —7D 20
Gibbet Hill Rd. *Cov* —4B **20**
Gibbons Clo. *Cov* —6K **13**
Gibbs Clo. *Cov* —2K **17**
Gibson Cres. *Bed* —5E **4**
Gibson Dri. *Rugby* —1J **33**
Gielgud Way. *Cross P* —7K **11**
Gilbert Av. *Rugby* —7K **27**
Gilbert Clo. *Cov* —5A **16** (2J **3**)
Giles Clo. *Cov* —5J **9**
Gillians Wlk. *Cov* —7J **11**
Gingles Ct. *Rugby* —2J **33**
Gipsy Clo. *Bal C* —4A **18**
Gipsy La. *Bal C* —4A **18**
Girdlers Clo. *Cov* —4H **21**
Girtin Clo. *Bed* —2E **4**
Givens Ho. *Cov* —4B **2**
Glade, The. *Cov* —5K **13**
Gladiator Way. *Gleb F* —2B **28**
Gladstone St. *Rugby* —5B **28**
Glaisdale Av. *Cov* —4A **10**
Glamorgan Clo. *Cov* —4F **23**
Glarmara Clo. *Rugby* —2F **29**
Glasshouse La. *Ken* —3E **34**
Glebe Av. *Bed* —5C **4**
Glebe Clo. *Cov* —2A **20**
Glebe Cres. *Ken* —5C **34**
Glebe Cres. *Rugby* —6A **28**
Glebe Farm Gro. *Cov* —5H **17**
Glebe Farm Ind. Est. *Gleb F* —2B **28**
Glebe Farm Rd. *Gleb F* —2B **28**
Glebe, The. *Cor* —1B **8**

Glencoe Rd. *Cov* —6D **16**
Glendale Av. *Ken* —2C **34**
Glendon Gdns. *Bulk* —6J **5**
Glendower Av. *Cov* —6D **14**
Gleneagles Rd. *Cov* —2G **17**
Glenmore Dri. *Cov* —2B **10**
Glenmount Av. *Longf* —2B **10**
Glenn St. *Cov* —4K **9**
Glenridding Clo. *Cov* —2B **10**
Glenrosa Wlk. *Cov* —2A **20**
Glenroy Clo. *Cov* —2G **17**
Glentworth Av. *Cov* —5G **9**
Glenwood Gdns. *Bed* —2E **4**
Gloster Dri. *Ken* —2B **34**
Gloucester St. *Cov* —5H **15** (3B **2**)
Glovers Clo. *Mer* —6A **6**
Glover St. *Cov* —1K **21**
Goat Ho. La. *Bal C* —5A **18**
Godiva Pl. *Cov* —5A **16** (3H **3**)
Goldenacres La. *Cov* —2H **23**
Goldsmith Av. *Rugby* —3B **32**
Goldthorn Clo. *Cov* —4H **13**
Goodacre Clo. *Clift D* —4J **29**
Goode Cft. *Cov* —6K **13**
Goodman Way. *Cov* —7G **13**
Goodwood Clo. *Cov* —3E **22**
Goodyers End. —6A 4
Goodyers End La. *Bed* —6A **4**
Gordon Clo. *Bed* —2F **5**
Gordon St. *Cov* —7G **15** (6B **2**)
Goring Rd. *Cov* —4C **16**
Gorse Clo. *Rugby* —1A **32**
Gorseway. *Cov* —5C **14**
Gosford Green. —6B 16 (5K 3)
Gosford Ind. Est. *Cov* —6B **16** (4J **3**)
Gosford St. *Cov* —6K **15** (4G **3**)
Gospel Oak Rd. *Cov* —3H **9**
Gosport Rd. *Cov* —7A **10**
Gossett La. *Bran* —2C **24**
Grace Rd. *Alle* —7E **6**
Grafton St. *Cov* —6A **16** (4J **3**)
Graham Clo. *Cov* —6D **10**
Graham Rd. *Rugby* —5E **28**
Granborough Clo. *Bin* —1H **23**
Grange Av. *Bin* —2H **23**
Grange Av. *Cov* —6J **21**
Grange Av. *Ken* —1A **34**
Grangemouth Rd. *Cov* —2H **15**
Grange Rd. *Longf* —3C **10**
Grange Rd. *Rugby* —3A **28**
Granoe Clo. *Cov* —1G **23**
Grantham St. *Cov* —5B **16** (3K **3**)
Grant Rd. *Cov* —6D **16**
Grant Rd. *Exh* —6E **4**
Grapes Clo. *Cov* —3H **15**
Grasmere Av. *Cov* —3F **21**
Grasmere Clo. *Rugby* —3F **29**
Grasmere Rd. *Bed* —4F **5**
Grasscroft Dri. *Cov* —3A **22**
Gratton Ct. *Cov* —3F **21**
Gravel Hill. *Cov* —7J **13**
Graylands, The. *Cov* —5J **21**
Grays Orchard. *T'ton* —7F **31**
Grayswood Av. *Cov* —4D **14**
Gt. Borne. *Rugby* —1E **29**
Gt. Central Way. *Rugby* —5F **29**
Gt. Central Way Ind. Est. *Rugby* —4F **29**
Great Heath. —2A 16
Greendale Clo. *Long L* —5F **27**
Green Ct. *Rugby* —5F **29**
Greendale Rd. *Cov* —5D **14**
Green Fld., The. *Cov* —1D **22**
Greenhill Rd. *Rugby* —1B **32**
Greenland Av. *Cov* —3K **13**
Greenland Ct. *Cov* —3K **13**
Green Lane. —5H 21
Green La. *Bal C* —2A **18**
Green La. *Chu L* —4C **26**
Green La. *Cor* —1H **7**
Green La. *Cov* —3G **21**
Greenleaf Clo. *Cov* —5A **14**
Greenodd Dri. *Cov* —2B **10**
Greensleeves Clo. *Cov* —5H **9**
Green's Rd. *Cov* —6F **9**
Greensward Clo. *Ken* —2D **34**
Greensward, The. *Cov* —6J **17**
Greens Yd. *Bed* —3F **5**
Green, The. *Bil* —2J **31**
Greenwood Clo. *Long L* —4G **27**
Gregory Av. *Cov* —3G **21**
Gregory Hood Rd. *Cov* —4K **21**
Grendon Clo. *Cov* —7G **13**
Grendon Dri. *Rugby* —2G **29**
Grenville Av. *Cov* —5D **16**
Grenville Rd. *Rugby* —1J **31**
Gresham St. *Cov* —6C **16**
Gresley Rd. *Cov* —1F **17**
Greswold Clo. *Cov* —7K **13**
Gretna Rd. *Cov* —5F **21**

Greville Rd.—Hurst Rd.

Greville Rd. Ken —4B 34
Greycoat Rd. Cov —5G 9
Greyfriars La. Cov —6J 15 (5E 2)
Greyfriars Rd. Cov —6J 15 (5D 2)
Griff La. Griff —1D 4
Grimston Clo. Bin —6J 17
Grindle Rd. Longf —3B 10
Grindley Ho. Cov —6H 15 (4B 2)
(off Windsor St.)
Grizebeck Dri. Cov —3A 14
Grizedale. Rugby —2E 28
Grosvenor Ho. Cov —6H 15 (6C 2)
Grosvenor Link Rd. Cov —7H 15 (6C 2)
Grosvenor Rd. Cov —7H 15 (6C 2)
Grosvenor Rd. Rugby —6D 28
Grove Ct. Cov —1H 21
Grovelands Ind. Est. Exh —1C 10
Grove La. Ker E —1F 9
Grove St. Cov —5K 15 (3G 3)
Grove, The. Bed —3F 5
Guardhouse Rd. Cov —7H 9
Guildford Ct. Cov —1K 15
Guild Rd. Cov —1K 15
Guilsborough Rd. Bin —1G 23
Gulson Rd. Cov —6A 16 (5H 3)
Gun La. Cov —3C 16
Gunton Av. Cov —3E 22
Guphill Av. Cov —5D 14
Gurney Clo. Cov —5J 13
Gutteridge Av. Cov —5G 9
Guy Rd. Ken —6B 34
Gypsy La. Ken —6B 34

Haddon End. Cov —3A 22
Haddon St. Cov —7C 10
Hadfield Clo. Clift D —4J 29
Hadleigh Rd. Cov —6J 21
Hadrians Way. Gleb F —2B 28
Haig Ct. Rugby —1A 32
Hales Ind. Pk. Cov —3A 10
Hales St. Cov —5J 15 (2E 2)
Halford La. Cov —6G 9
Halford Lodge. Cov —5G 9
Halfway La. Dunc —7H 31
Halifax Clo. Cov —1A 14
Hallam Rd. Cov —4H 9
Hallbrook Rd. Cov —4G 9
Hall Clo., The. Dunc —7J 31
Hall Dri. Bag —6A 22
Hall Green. —5D 10
Hall Grn. Rd. Cov —5D 10
Hall La. Cov —2H 17
Hamilton Clo. Bed —5A 4
Hamilton Rd. Cov —5C 16
Hamlet Clo. Rugby —4K 31
Hammersley St. Bed —5C 4
Hammond Rd. Cov —4B 16
Hampden Way. Rugby —3J 31
Hampshire Clo. Bin —1H 23
Hampton Clo. Cov —2B 16
Hampton Rd. Cov —2B 16
Hanbury Pl. Cov —5C 10
Hanbury Rd. Bed —2G 5
Hancock Grn. Cov —1K 19
Handcross Gro. Cov —4G 21
Handleys Clo. Ryton D —7J 23
Handsworth Cres. Cov —4J 13
Hanford Clo. Cov —2A 16
Hans Clo. Cov —4B 16
Hanson Way. Longf —2C 10
Hanwood Clo. Cov —4G 13
Harborough Rd. Cov —5H 9
Harborough Rd. Harb M —1J 27
Harcourt. Cov —4G 23
Hardwick Clo. Cov —4A 14
Hardwyn Clo. Bin —7J 17
Hardy Clo. Rugby —7J 27
Hardy Rd. Cov —1G 15
Harebell Way. Rugby —1F 29
Harefield Rd. Cov —5D 16
Harewood Rd. Cov —5C 14
Harger Ct. Ken —4B 34
Hargrave Clo. Bin —7J 17
Harlech Clo. Ken —3E 34
Harley St. Cov —5C 16
Harlow Wlk. Cov —1J 17
Harmer Clo. Cov —1J 17
Harnall La. Cov —4K 15
Harnall La. E. Cov
(in two parts) —4K 15 (1G 3 & 1K 3)
Harnall La. Ind. Est. Cov —4K 15 (1G 3)
Harnall La. W. Cov —4K 15 (1E 2)
Harnall Row. Cov —5A 16 (3J 3)
Harold Cox Pl. Rugby —4A 32
Harold Rd. Cov —6F 17
Harpenden Dri. Cov —3A 14
Harper Rd. Cov —6A 16 (5H 3)
Harrington Rd. Cov —3G 15
Harris Dri. Rugby —2B 32
Harrison Clo. Rugby —2K 33
Harrison Cres. Bed —4E 4
Harris Rd. Cov —6D 16
Harrow Clo. Longf —3C 10
Harry Edwards Ho. Cov —7F 11
Harry Rose Rd. Cov —5G 17
Harry Salt Ho. Cov —2H 3
Harry Truslove Clo. Cov —1G 15
Harry Weston Rd. Bin —7H 17
Hart Clo. Rugby —7F 29
Hartington Cres. Cov —7F 15
Hartland Av. Cov —2D 16
Hartlepool Rd. Cov —4A 16
Hartridge Wlk. Cov —4B 14
Harvesters Clo. Bin —6J 17
Harvest Hill La. Alle —3E 6
Harvey Clo. Alle —1A 14
Haselbech Rd. Bin —7H 17
Haseley Rd. Cov —6E 10
Hasilwood Sq. Cov —6D 16
Hastings Rd. Cov —4C 16
Haswell Clo. Rugby —7E 28
Hathaway Clo. Bal C —2A 18
Hathaway Rd. Cov —7H 13
Havendale Clo. Cov —3H 15
Hawkesbury. —1E 10
Hawkesbury La. Cov —2F 11
Hawkes End. —5B 8
Hawkeshead. Rugby —2F 29
Hawkes Mill La. Alle —5A 8
Hawkesworth Dri. Ken —2C 34
Hawkins Clo. Rugby —1A 32
Hawkins Rd. Cov —6G 15 (5A 2)
Hawksworth Dri. Cov —5G 15 (2A 2)
Hawlands. Rugby —3E 28
Hawthorne Clo. Wols —5E 24
Hawthorne Ct. Cov —7J 13
Hawthorn La. Cov —6J 13
Hawthorn La. Cov —5J 13
Hawthorn Way. Rugby —1H 31
Haydock Clo. Cov —3D 10
Hayes Clo. Rugby —2F 29
Hayes Green. —6E 4
Hayes Grn. Rd. Bed —5D 4
Hayes La. Exh —6D 4
Hay La. Cov —6K 15 (4F 3)
Haynestone Rd. Cov —2E 14
Haynes Way. Swift I —1B 28
Hayton Grn. Cov —1K 19
(in two parts)
Haytor Ri. Cov —1E 16
Haywards Grn. Cov —1G 15
Hazel Gro. Bed —3H 5
Hazelhead Ind. Est. Cov —6B 16 (5K 3)
Hazelmere Clo. Cov —4B 14
Hazel Rd. Cov —6D 10
Hazelwood Clo. Dunc —7H 31
Headborough Rd. Cov —3C 16
Headington Av. Cov —5G 9
Headlands, The. Cov —4D 14
Healey Clo. Rugby —2E 28
Health Cen. Rd. Cov —5C 20
Hearsall Comn. Cov —6E 14
Hearsall Ct. Cov —6D 14
Hearsall La. Cov —6F 15
Heath. —6J 31
Heath Av. Bed —5C 4
Heathcote St. Cov —2G 15
Heath Cres. Cov —2C 16
Heather Clo. Rugby —1A 32
Heather Dri. Bed —4C 4
Heather Rd. Bin W —2A 24
Heather Rd. Cov —5D 10
Heathfield Rd. Cov —6C 14
Heath Grn. Way. Cov —3K 19
Heath Rd. Bed —5D 4
Heath Rd. Cov —4B 16
Heath, The. Dunc —7J 31
Heath Way. Rugby —2F 33
Heckley Rd. Exh —7E 4
Heddle Gro. Cov —7D 10
Hedgerow Wlk. Cov —3H 9
Heera Clo. Cov —1K 15
Helen St. Cov —2B 16
Hele Rd. Cov —3K 21
Helmdon Clo. Rugby —3F 29
Helvellyn Way. Rugby —2F 29
Hemingford Rd. Cov —7H 11
Hemsby Clo. Cov —1A 20
Hemsworth Dri. Bulk —7H 5
Henderson Cl. Alle —1C 14
Hendre Clo. Cov —6C 14
Hen La. Cov —4J 9
Henley Green. —7F 11
Henley Mill La. Cov —1D 16
Henley Pk. Ind. Est. Cov —1G 17
Henley Rd. Cov —6D 10
Henrietta St. Cov —3A 16
Henry Boteler Rd. Cov —2B 20
Henry Caplan Ho. Cov —2B 14
Henry St. Cov —5J 15 (2E 2)
Henry St. Ken —3C 34
Henry St. Rugby —6C 28
Henson Rd. Bed —5C 4
Hepworth Rd. Bin —6J 17
Herald Av. Cov —7C 14
Herald Bus. Pk. Cov —2H 23
Herald Way. Bin I —2J 23
Herbert Art Gallery & Mus. —6K 15 (4F 3)
Herberts La. Ken —3C 34
Heritage Ct. Cov —6D 20
Hermes Cres. Cov —1F 17
Hermitage Rd. Cov —4E 16
Hermitage Way. Ken —5C 34
Hermit's Cft. Cov —1K 21
Heron Ho. Cov —5D 16
Herrick Rd. Cov —5F 17
Hertford Pl. Cov —6H 15 (5C 2)
Hertford St. Cov —6J 15 (4E 2)
Heslop Clo. Bin —1H 23
Hewitt Av. Cov —3H 15 (1B 2)
Hexby Clo. Cov —2J 17
Hexworthy Av. Cov —4H 21
Heybrook Clo. Cov —1E 16
Heycroft. Cov —5D 20
Heyford Leys. Rugby —4B 32
Heyville Cft. Ken —5E 34
Heywood Clo. Cov —1C 16
Hibberd Ct. Ken —4B 34
Hibbert Clo. Rugby —1B 32
Hidcote Rd. Ken —2E 34
High Ash Clo. Exh —7D 4
High Beech. Cov —2A 14
Highfield. Mer —6A 6
Highfield Clo. Ken —4A 34
Highfield Rd. Cov —4B 16 (1K 3)
Highgrove. Cov —4K 19
Highgrove. Rugby —3K 31
Highland Rd. Cov —7F 15
Highland Rd. Ken —1D 34
High Pk. Clo. Cov —5K 13
High St. Bed —4F 5
High St. Cov —6J 15 (4E 2)
High St. Hillm —2H 33
High St. Ken —3A 34
High St. Ker —6F 9
High St. Rugby —6C 28
High St. Ryton D —7K 23
High Vw. Dri. Ash G —7A 4
Highwayman's Cft. Cov —4D 20
Hilary Rd. Cov —3D 20
Hillary Rd. Rugby —2A 32
Hillfield Rd. Rugby —1J 31
Hillfields. —4A 16 (1H 3)
Hillfields Ho. Cov —5A 16 (2H 3)
Hillfray Dri. Cov —4C 22
Hilliard Clo. Bed —2E 4
Hillmorton. —2J 33
Hillmorton La. Rugby & Clift D —7J 29
Hillmorton Rd. Cov —5E 10
Hillmorton Rd. Rugby —7C 28
Hill Rd. Ker E —1F 9
Hillside. Cov —2C 16
Hillside N. Cov —2C 16
Hill St. Bed —1F 5
Hill St. Cov —5H 15 (3C 2)
Hill St. Rugby —5B 28
Hill Top. Cov —5K 15 (3F 3)
Hilton Ct. Cov —6F 15
Himley Rd. Bed —4B 4
Hinckley Rd. Ansty —5K 11
Hinckley Rd. Cov —1J 17
Hinde Clo. Rugby —2E 28
Hipswell Highway. Cov —4F 17
Hiron Cft. Cov —1J 21
Hiron, The. Cov —1J 21
Hirst Clo. Long L —4G 27
Hob La. Bal C & Burt G —4B 18
Hobley Clo. Rugby —3K 31
Hockett St. Cov —1K 21 (7G 3)
Hocking Rd. Cov —3F 17
Hockley. —4G 13
Hockley La. Cov —4G 13
Hodgetts La. Berk & Burt G —1D 18
Hodnet Clo. Ken —3D 34
Hogarth Clo. Bed —2E 4
Holbein Clo. Bed —2E 4
Holborn Av. Cov —5J 9
Holbrook Av. Rugby —5C 28
Holbrook La. Cov —4J 9
(in two parts)
Holbrook Rd. Long L —4H 27
Holbrooks. —4J 9
Holbrook Way. Cov —6K 9
Holcot Leys. Rugby —3C 32
Holland Rd. Cov —2G 15
Hollicombe Ter. Cov —7F 11
Hollies, The. Newt —1H 29
Hollis La. Ken —7J 19 & 1A 34
(in two parts)
Hollis Rd. Cov —6C 16
Holloway Fld. Cov —2F 15
Hollow Cres. Cov —3H 15
Hollowell Way. Rugby —2E 28
Hollybank. Cov —1G 21
Hollyberry End. —3G 7
Hollybush La. Longf —3C 10
Hollyfast La. Cor —3B 8
Hollyfast Rd. Cov —1E 14
Holly Gro. Chu L —4B 26
Holly Gro. Cov —6B 14
Hollyhurst. Bed —5D 4
Holly La. Bal C —4A 18
Holly Wlk. Bag —7A 22
Holmcroft. Cov —7H 11
Holme Clo. Rugby —3E 28
Holmes Ct. Ken —3B 34
Holmes Dri. Cov —3H 13
Holmewood Clo. Ken —3D 34
Holmfield Rd. Cov —5D 16
Holmsdale Rd. Cov —1A 16
Holroyd Ho. Cov —6K 13
Holy Cross Ct. Cov —4G 17
Holyhead Rd. Cov —3C 14 (1A 2)
Holyoak Clo. Bed —5D 4
Holyoak Clo. Rugby —2J 31
Holywell Clo. Cov —7H 13
Homefield La. Dunc —6K 31
Homeward Way. Bin —7J 17
Honeybourne Clo. Cov —5B 14
Honeyfield Rd. Cov —3K 15
Honeysuckle Clo. Rugby —1F 29
Honeysuckle Dri. Cov —5D 10
Honiley Way. Cov —6F 11
Honiton Rd. Cov —3D 16
Hood St. Cov —5A 16 (3H 3)
Hood's Way. Rugby —7K 27
Hope Clo. Ker E —1G 9
Hopedale Clo. Cov —5G 17
Hope St. Cov —6H 15 (4B 2)
Hopkins Rd. Cov —4G 15
Hopton Clo. Cov —4A 14
Hornbeam Dri. Cov —7H 13
Hornchurch Clo. Cov —7J 15 (7E 2)
Hornchurch Clo. Ind. Est. Cov —7J 15 (7E 2)
Horndean Clo. Cov —7A 10
Horne Clo. Rugby —2K 33
Horninghold Clo. Bin —1G 23
Hornsey Clo. Cov —1G 17
Horobins Yd. Bed —1F 5
Horse Shoe Rd. Cov —3C 10
Horsford Rd. Cov —3K 21
Horton Cres. Rugby —7C 28
Hosiery St. Bed —4G 5
Hoskyn Clo. Rugby —2H 33
Hospital La. Bed —4A 4
Hotchkiss Way. Bin I —2J 23
Hothorpe Clo. Bin —7H 17
Houldsworth Cres. Cov —3J 9
Houston Rd. Rugby —3E 28
Hove Av. Cov —4J 13
Hovelands Clo. Cov —7E 10
Howard Clo. Cov —4J 13
Howard Clo. Dunc —6K 31
Howard St. Cov —4K 15 (1F 3)
Howat Rd. Ker E —1F 9
Howcotte Grn. Cov —2J 19
Howells Clo. Bed —5B 4
Howes La. Cov —7J 21
Howkins Rd. Rugby —3E 28
Howlette Rd. Cov —6J 13
Hudson Rd. Rugby —1A 32
Hugh Rd. Cov —6C 16
Hulme Clo. Bin —7K 17
Humber Av. Cov —7A 16 (6J 3)
(in two parts)
Humber Ct. Cov —2C 22
Humber Rd. Cov —7B 16
Humberstone Rd. Cov —3G 15
Humphrey Burton's Rd. Cov —1J 21
Humphrey-Davy Rd. Bed —6B 4
Hunters Clo. Cov —6J 17
Hunters La. Rugby —4C 28
Hunter St. Rugby —5E 28
Hunter Ter. Cov —1D 20
Huntfield Dri. Ken —7A 34
Huntingdon Rd. Cov —7G 15 (7A 2)
Hunt Ter. Cov —2B 20
Hurn Way. Cov —3D 10
Hurst Rd. Bed —3F 5
Hurst Rd. Longf —3C 10
(in two parts)

Hyde Rd. *Cov* —4G **17**
Hyde Rd. *Ken* —3C **34**

Ibex Clo. *Bin* —7H **17**
Ibstock Rd. *Cov* —2C **10**
Iden Rd. *Cov* —4A **16**
Ilam Pk. *Ken* —3E **34**
Ilford Clo. *Bed* —3E **4**
Ilford Ct. *Bin W* —2B **24**
Ilford Dri. *Cov* —4H **21**
Ilfracombe Gro. *Cov* —4G **21**
Ilmer Clo. *Rugby* —2G **28**
Ilmington Clo. *Cov* —4H **21**
Inca Clo. *Bin* —1H **23**
Inchbrook Rd. *Ken* —1E **34**
Ingram Rd. *Cov* —1D **20**
Innis Rd. *Cov* —1E **20**
Instone Rd. *Cov* —6G **9**
International Ho. *Cov* —5C **20**
Inverary Clo. *Ken* —4E **34**
Inverness Clo. *Cov* —4A **14**
Invicta Rd. *Bin* —1H **23**
Ireton Clo. *Cov* —7G **13**
Ironmonger Row. *Cov* —5J **15** (3E **2**)
Irving Rd. *Cov* —6A **16** (5J **3**)
Ivor Rd. *Cov* —5B **10**
Ivybridge Rd. *Cov* —3K **21**
Ivy Farm La. *Cov* —3D **20**

Jack Ball Ho. *Cov* —6H **11**
Jacker's Rd. *Cov* —3D **10**
Jacklin Clo. *Cov* —5J **21**
Jackson Clo. *Ker E* —1G **9**
Jackson Rd. *Cov* —6K **9**
Jackson Rd. *Rugby* —1J **33**
Jackwood Grn. *Bed* —6A **4**
Jacox Cres. *Ken* —3E **34**
Jacquard Clo. *Cov* —5K **21**
Jade Clo. *Cov* —4A **16**
Jamescroft. *Cov* —3G **23**
James Dawson Dri. *Alle* —7F **7**
James Galloway Clo. *Bin* —2G **23**
James Gilbert Rugby Football Mus.
—6C **28**
James Grn. Rd. *Cov* —6K **13**
James Ho. *Cov* —7E **10**
James St. *Rugby* —6D **28**
James Wlk. *Rugby* —6D **28**
Jardine Cres. *Cov* —6K **13**
Jardine Shop. Cen. *Cov* —6K **13**
Jasmine Gro. *Cov* —1E **22**
Jedburgh Gro. *Cov* —5G **21**
Jeffrey Clo. *Bed* —6B **4**
Jeliff St. *Cov* —6K **13**
Jenkins Av. *Cov* —4K **13**
Jenkins Rd. *Cov* —1J **33**
Jenner St. *Cov* —4K **15** (1G **3**)
Jephcott Ho. *Cov* —2H **3**
Jesmond Rd. *Cov* —4B **16** (1K **3**)
Jim Forrest Clo. *Cov* —1H **23**
J M Halls. *Cov* —5C **20**
Joanna Dri. *Cov* —6J **21**
Joan of Arc Ho. *Cov* —3A **22**
Joan Ward St. *Cov* —1K **21** (7F **3**)
Job's La. *Cov* —5A **14**
Joe O'Brien Clo. *Cov* —3E **22**
Joe Williams Clo. *Cov* —1H **23**
John Grace St. *Cov* —1K **21**
John Knight Rd. *Bed* —2F **5**
John McGuire Cres. *Bin* —2G **23**
John Nash Sq. *Ken* —5B **34**
John of Gaunt Ho. *Cov* —2A **22**
John O'Gaunt Rd. *Ken* —5A **34**
John Rous Av. *Cov* —2B **20**
John Shelton Dri. *Cov* —3J **9**
John Simpson Clo. *Wols* —6E **24**
John Sinclair Clo. *Cov* —1E **2**
Johnson Av. *Rugby* —7K **27**
Johnson Rd. *Bed* —3G **5**
Johnson Rd. *Cov* —7C **10**
John St. *Bed* —4E **4**
John Thwaites Clo. *Rugby* —7C **28**
John Tofts Ho. *Cov* —4J **15** (1E **2**)
Jonathan Rd. *Cov* —7H **11**
Jones Rd. *Exh* —5E **4**
Jordan Clo. *Ken* —6D **34**
Jordans, The. *Cov* —4C **14**
Jordan Well. *Cov* —6K **15** (4F **3**)
Joseph Creighton Clo. *Bin* —2G **23**
Joseph Halpin Ho. *Cov* —1G **3**
Joseph Latham Ho. *Cov* —6D **10**
Joseph Luckman Rd. *Bed* —2E **4**
Jubilee Cres. *Cov* —7H **9**
Jubilee St. *Rugby* —6A **28**
Jubilee Ter. *Bed* —2F **5**
Judd Clo. *Bed* —3D **4**
Judd's La. *Longf* —3A **10**

Judge Clo. *Long L* —4G **27**
Julian Clo. *Cov* —7H **11**
Juliet Dri. *Rugby* —4K **31**
Junction St. *Cov* —6H **15** (5C **2**)
Junewood Clo. *Rugby* —2F **29**
Juniper Clo. *Bed* —4C **4**
Juniper Dri. *Cov* —3K **13**

Kanzan Rd. *Cov* —3D **10**
Kareen Gro. *Bin W* —2A **24**
Karlingford Clo. *Cov* —1D **20**
Kathleen Av. *Bed* —5C **4**
Kay Clo. *Rugby* —2E **28**
Keats Rd. *Cov* —6F **17**
Kebull Grn. *Cov* —1J **19**
Keeling Rd. *Ken* —3D **34**
Keenan Dri. *Bed* —5B **4**
Keepers Wlk. *Bed* —5B **4**
Kegworth Clo. *Cov* —3C **10**
Kele Rd. *Cov* —2K **19**
Kelmscote Rd. *Cov* —7F **9**
Kelsey La. *Bal C* —4A **18**
Kelsey's Clo. *Wols* —6D **24**
Kelvin Av. *Cov* —3F **17**
Kelway. *Bin* —6J **17**
Kempley Av. *Cov* —5E **16**
Kemps Grn. Rd. *Bal C* —3A **18**
Kendal Ri. *Cov* —4C **14**
Kendon Av. *Cov* —2E **14**
Kendrick Clo. *Cov* —3C **10**
Kenelm Ct. *Cov* —4E **22**
Kenilcourt. *Ken* —2A **34**
Kenilworth. —4B 34
Kenilworth By-Pass. *Ken*
(in two parts) —7D **34** & 7J **21**
Kenilworth Castle. —3A **34**
Kenilworth Ct. *Cov* —1J **21**
Kenilworth M. *Cov* —3B **34**
Kenilworth Rd. *Bal C & Ken* —3A **18**
Kenilworth Rd. *Cov* —7D **20**
Kenilworth Rd. *Ken* —1D **34**
Kenilworth Rd. *Ken & B'dwn* —7E **34**
Kenilworth Tourist Info. Cen. —4B **34**
Kennedy Dri. *Rugby* —7J **27**
Kennet Clo. *Cov* —7E **10**
Kenpas Highway. *Cov* —3F **21**
Kensington Ct. *Cov* —7G **15** (6A **2**)
Kensington Rd. *Cov* —7F **15** (6A **2**)
Kent Clo. *Cov* —3A **22**
Kenthurst Clo. *Cov* —4G **13**
Kentmere Clo. *Cov* —5G **11**
Kent, The. *Rugby* —7J **29**
Kenwyn Grn. *Exh* —6F **5**
Keppel Clo. *Rugby* —1J **31**
Keppel St. *Cov* —3A **16**
Keresley. —5F 9
Keresley Brook Rd. *Cov* —5F **9**
Keresley Clo. *Cov* —5G **9**
Keresley Grn. Rd. *Cov* —6F **9**
Keresley Newland. —1F 9
Keresley Rd. *Cov* —7H **9**
Kerris Way. *Bin* —7J **17**
Kerrys Ho. *Cov* —4B **2**
Kestrel Cft. *Bin* —1H **23**
Keswick Dri. *Brow* —1E **28**
Keswick Wlk. *Cov* —4H **17**
Keviliok St. *Cov* —3K **21**
Kew Clo. *Ken* —3E **34**
Kew Rd. *Rugby* —5C **28**
Keyes Dri. *Rugby* —7J **27**
Kilburn Dri. *Cov* —5F **15**
Kildale Clo. *Cov* —5A **16** (2H **3**)
Kilsby La. *Rugby* —3K **33**
Kilworth Rd. *Rugby* —3K **33**
Kimberley Clo. *Cov* —4K **13**
Kimberley Rd. *Rugby* —7A **22**
Kimberley Rd. *Bed* —2G **5**
Kimberley Rd. *Rugby* —5D **28**
Kimble Clo. *Cov* —4B **14**
Kineton Rd. *Cov* —2E **16**
Kineton Rd. *Ken* —4E **34**
King Edward Rd. *Cov* —4A **16** (1J **3**)
King Edward Rd. *Rugby* —5D **28**
Kingfield Ind. Est. *Cov* —2J **15**
Kingfield Rd. *Cov* —2J **15**
King George's Av. *Bed* —1F **5**
King George's Av. *Cov* —5A **10**
King George's Ct. *Long L* —4G **27**
King Richard St. *Cov* —5B **16** (2K **3**)
Kingsbury Rd. *Cov* —2D **14**
Kingscote Gro. *Cov* —5G **21**
Kings Gdns. *Bed* —4G **5**
Kings Gro. *Cov* —5D **16**
Kingsland Av. *Cov* —6F **15**
Kingsley Av. *Rugby* —1G **33**
Kingsley Ct. *Bin W* —3B **24**
Kingsley Cres. *Bulk* —6H **5**
Kingsley Orchard. *Rugby* —1G **33**

Kingsley Ter. *Cov* —7G **11**
Kingsley Wlk. *W'grve S* —7H **11**
Kingsmead M. *Cov* —3F **23**
King's Newnham. —2C 26
Kings Newnham La. *Bret* —2J **25**
Kings Newnham Rd. *Chu L* —2B **26**
Kingston Rd. *Cov* —6F **15**
King St. *Bed* —4F **5**
(in two parts)
King St. *Cov* —4J **15** (2D **2**)
King St. *Rugby* —5C **28**
Kingsway. *Cov* —5C **16**
Kingsway. *Rugby* —1C **32**
Kingswood Clo. *Cov* —6K **9**
King William St. *Cov* —4A **16** (1H **3**)
Kinman Way. *Rugby* —3E **28**
Kintyre, The. *Cov* —1K **17**
Kinver Clo. *Cov* —6G **11**
Kinwalsey La. *Mer* —2A **6** & 1C **6**
Kipling Rd. *Cov* —7G **9**
Kirby Clo. *Bran* —4D **24**
Kirby Clo. *Cov* —2K **15**
Kirby Corner. —4A 20
Kirby Corner. *Cov* —3C **20**
Kirby Corner Rd. *Cov* —4B **20**
Kirby Rd. *Cov* —6F **15**
Kirkby Clo. *Rugby* —3G **29**
Kirkby Rd. *Rugby* —1H **33**
Kirkdale Av. *Cov* —4K **9**
Kirkstone. *Brow* —2F **29**
Kirkstone Rd. *Bed* —4E **4**
Kirton Clo. *Cov* —6F **9**
Kitchener Rd. *Cov* —7A **10**
Kittermaster Rd. *Mer* —6A **6**
Knight Av. *Cov* —7A **16** (6J **3**)
Knightlow Av. *Cov* —3E **22**
Knightlow Clo. *Ken* —5E **34**
Knightlow Lodge. *Cov* —3E **22**
Knightsbridge Av. *Bed* —1G **5**
Knights Templar Way. *Cov* —7A **14**
Knoll Cft. *Cov* —3J **21**
Knoll Dri. *Cov* —3J **21**
Knowle Hill. *Ken* —2E **34**
Kynner Way. *Bin* —7J **17**

Laburnum Av. *Cov* —3F **15**
Laburnum Av. *Ken* —4C **34**
Laburnum Clo. *Bed* —4C **4**
Laburnum Gro. *Rugby* —2K **31**
Ladbrook Rd. *Cov* —4A **14**
Ladyfields Way. *Cov* —3H **9**
Lady Godiva Statue. —5J **15** (3E **2**)
Lady La. *Ken* —5H **9**
Lady La. *Longf* —3B **10**
Ladymead Dri. *Cov* —5H **9**
Ladysmock. *Rugby* —1F **29**
Lady Warwick Av. *Bed* —4G **5**
Lakeside. *Bed* —4E **4**
Lake Vw. Rd. *Cov* —4E **14**
Lambeth Clo. *Cov* —1G **17**
Lambourne Clo. *Cov* —4A **14**
Lamb St. *Cov* —5J **15** (2D **2**)
Lammas Ct. *Wols* —6E **24**
Lammas Ho. *Cov* —4G **15**
Lammas Rd. *Cov* —4F **15**
Lammerton Clo. *Cov* —2E **16**
Lancaster Pl. *Ken* —6A **34**
Lancaster Rd. *Rugby* —5C **28**
Lanchester Rd. *Cov* —2H **15**
Lancia Clo. *Cov* —3D **10**
Lancing Rd. *Bulk* —6J **5**
Landseer Clo. *Rugby* —1K **33**
Lane Side. *Cov* —3G **23**
Langbank Av. *Bin* —1E **22**
Langbay Ct. *Cov* —2H **17**
Langdale Av. *Cov* —4K **9**
Langdale Clo. *Rugby* —2E **28**
Langley Cft. *Cov* —6A **14**
Langlodge Rd. *Cov* —5H **9**
Langnor Rd. *Cov* —2E **16**
Langton Clo. *Bin* —1G **23**
Langton Rd. *Rugby* —1G **33**
Langwood Clo. *Cov* —2B **20**
Lansbury Clo. *Cov* —1E **16**
Lansdowne Clo. *Bed* —3E **4**
Lansdowne Pl. *Rugby* —7F **29**
Lansdowne St. *Cov* —5B **16** (3K **3**)
Lant Clo. *Cov* —1F **19**
Lapworth Rd. *Cov* —5E **10**
Larch Clo. *Rugby* —7H **27**
Larches, The. *Exh* —6E **4**
Larchfields. *Wols* —5E **24**
Larch Tree Av. *Cov* —5A **14**
Larchwood Rd. *Exh* —5F **5**
Larkfield Way. *Cov* —2A **14**
Larkin Clo. *Bulk* —6H **5**
Larkspur. *Rugby* —1F **29**
Larkspur Ct. *Bed* —6A **4**

Latham Rd. *Cov* —6G **15**
Latimer Clo. *Ken* —6B **34**
Lauderdale Av. *Cov* —4K **9**
Lauderdale Clo. *Rugby* —5H **27**
Laurel Clo. *Cov* —5G **11**
Laurel Dri. *Rugby* —1H **31**
Laurel Gdns. *Rugby* —2B **32**
Laurels Cres. *Bal C* —3A **18**
Laurels, The. *Bed* —3E **4**
Lavender Av. *Cov* —3E **14**
Lavender Clo. *Rugby* —1G **29**
Lavender Hall La. *Berk* —7A **12**
Lawford Clo. *Bin* —7G **17**
Lawford Heath. —3C 30
Lawford Heath Ind. Est. *Law H* —3B **30**
Lawford Heath La. *Law H* —4B **30**
Lawford La. *Rugby* —7H **27**
Lawford Rd. *Rugby* —5J **27**
Lawley Clo. *Cov* —6A **14**
Lawns, The. *Bed* —4B **4**
Lawrence Gdns. *Ken* —2B **34**
Lawrence Rd. *Exh* —6E **4**
Lawrence Rd. *Rugby* —6F **29**
Lawrence Saunders Rd. *Cov* —3G **15**
Lawrence Sheriff St. *Rugby* —6C **28**
Lea Cres. *Rugby* —3K **27**
Leacrest Rd. *Cov* —5G **9**
Leaf Ct. *Cov* —5K **21**
Leafield Clo. *Cov* —6H **11**
Leaf La. *Cov* —5A **22**
Leagh Clo. *Ken* —1D **34**
Leaholme Ct. *Cov* —1F **21**
Leam Grn. *Cov* —4D **20**
Leamington Rd. *Cov* —1H **21**
Leamington Rd. *Ken* —6C **34**
Leas Clo. *Bed* —3E **4**
Leasowes Av. *Cov* —5F **21**
Leeder Clo. *Cov* —5J **9**
Leeming Clo. *Cov* —4C **20**
Lee, The. *Cov* —4C **14**
Le Hanche Clo. *Ker E* —1G **9**
Leicester Causeway. *Cov* —4K **15**
Leicester Ct. *Bulk* —7J **5**
Leicester Rd. *Bed* —2F **5**
Leicester Rd. *Rugby* —4A **28**
Leicester Rd. *Shil* —7J **11**
Leicester Row. *Cov* —4J **15** (1E **2**)
Leicester St. *Bed* —3F **5**
Leicester St. *Bulk* —7J **5**
Leigh Av. *Cov* —6J **21**
Leigh Rd. *Swift I* —1B **28**
Leigh St. *Cov* —4A **16** (1J **3**)
Leighton Clo. *Cov* —7D **20**
Lennox Clo. *Cov* —3G **23**
Lenton's La. *Cov* —2F **11**
Leofric St. *Cov* —3G **15**
Leonard Perkins Ho. Bulk —7K **5**
(off Elm Tree Rd.)
Leopold Clo. *Cov* —4B **16** (1K **3**)
Lesingham Dri. *Cov* —7J **13**
Lestock Clo. *Rugby* —7J **27**
Letchlade Clo. *Cov* —7E **10**
Leven Way. *Cov* —7J **11**
Lever Rd. *Rugby* —1J **33**
Leveson Cres. *Bal C* —3A **18**
Levy Clo. *Rugby* —5B **28**
Lewis Rd. *Cov* —3K **15**
Leyburn Clo. *Cov* —5K **9**
Leycester Rd. *Ken* —6B **34**
Leyes La. *Ken* —3D **34**
Leyland Rd. *Bulk* —7H **5**
Leyland Rd. *Cov* —4D **14**
Leymere Clo. *Mer* —6A **6**
Leyside. *Cov* —4G **23**
Leys La. *Mer* —6A **6**
Library Rd. *Cov* —5B **20**
Lichen Grn. *Cov* —4D **20**
Lichfield Rd. *Cov* —1K **21**
Lifford Way. *Bin* —2J **23**
Light La. *Cov* —4J **15** (1D **2**)
Lilac Av. *Cov* —3F **15**
Lilac Dri. *Rugby* —7H **27**
Lilac Rd. *Bed* —1H **5**
Lilacvale Way. *Cov* —4D **20**
Lilbourne Rd. *Clift D* —4J **29**
Lilley Clo. *Cov* —5J **9**
Lillington Rd. *Cov* —6F **11**
Limbrick Av. *Cov* —7K **13**
Lime Gro. *Cov* —6B **14**
Lime Gro. *Ken* —4C **34**
Limes, The. *Bed* —4C **4**
Limestone Hall La. *Chu L* —1A **30**
Lime Tree Av. *Bil* —3H **31**
Lime Tree Av. *Cov* —6A **14**
Lime Tree Park. —6A 14
Linaker Rd. *Cov* —4E **22**
Lincoln St. *Cov* —4K **15** (1E **2**)
Lincroft Cres. *Cov* —4D **14**
Lindale. *Rugby* —1F **29**

Linden Lea. *Bed* —3F **5**
Lindfield, The. *Cov* —1E **22**
Lindisfarne Dri. *Ken* —4D **34**
Lindley Cres. *Ken* —7B **34**
Linford Wlk. *W'grve S* —6H **11**
Lingfield Ct. *Cov* —3D **10**
Links Rd. *Cov* —7G **9**
Linnell Rd. *Rugby* —7G **29**
Linnet Clo. *Cov* —4F **23**
Linstock Way. *Cov* —3D **10**
Linwood Dri. *Cov* —6H **11**
Lion Fields Av. *Cov* —2B **14**
Lismore Cft. *W'grve R* —1K **17**
Little Bedworth Heath. —6D 4
Lit. Church St. *Cov* —4K **15**
Lit. Church St. *Rugby* —6C **28**
Lit. Cryfield. *Cov* —7C **20**
Lit. Elborow St. *Rugby* —6C **28**
Lit. Farm. *Cov* —3F **23**
Lit. Fields. *Cov* —3C **16**
Little Heath. —5B 10
Lit. Heath Ind. Est. *Cov* —6B **10**
(in two parts)
Little Lawford. —2F 27
Lit. Lawford La. *Lit L & Rugby* —2E **27**
Lit. London La. *Newt* —1J **29**
Lit. Park St. *Cov* —6K **15** (5F **3**)
Lit. Pennington St. *Rugby* —6B **28**
Littlethorpe. *Cov* —3F **23**
Littleton Clo. *Ken* —1C **34**
Livingstone Av. *Long L* —5F **27**
Livingstone Rd. *Cov* —1K **15**
Liza Ct. *Rugby* —1E **28**
Lloyd Cres. *Cov* —5G **17**
Lloyd Rd. *Rugby* —3E **28**
Loach Dri. *Cov* —3D **10**
Locke Clo. *Cov* —6G **9**
Lockhart Clo. *Ken* —4C **34**
Lockhurst La. *Cov* —7K **9**
Locks, The. *Hillm* —1K **33**
Loder Clo. *Cov* —5K **13**
Lodge Green. —4C 6
Lodge Grn. La. *Mer* —4C **6**
Lodge Grn. La. N. *Mer* —4C **6**
Lodge Rd. *Cov* —7D **16**
Lodge Rd. *Rugby* —5D **28**
Logan Rd. *Cov* —1G **17**
Lole Clo. *Longf* —3C **10**
Lollard Cft. *Cov* —1K **21**
Lomsey Clo. *Cov* —7A **14**
London Rd. *Cov* —7A **16** (6H **3**)
London Rd. *Cov & Ryton D* —5F **23**
London Rd. *Stret D* —4A **30**
Long Clo. Av. *Cov* —2B **14**
Longfellow Rd. *Cov* —5E **16**
Longfield Ho. *Cov* —7C **10**
Longford. —3B 10
Longford Rd. *Exh* —1C **10**
Longford Rd. *Longf* —4B **10**
Longford Sq. *Longf* —3B **10**
Long Furlong. *Rugby* —3B **32**
Long La. *Alle* —5D **8**
Long Lawford. —5G 27
Longrood Rd. *Rugby* —4K **31**
Long St. *Bulk* —7K **5**
Longwood Clo. *W'wd B* —3K **19**
Lonscale Dri. *Cov* —4H **21**
Lord Lytton Av. *Cov* —6F **17**
Lord St. *Cov* —6F **15**
Lorenzo Clo. *Cov* —3F **23**
Loudon Av. *Cov* —3G **15**
Love La. *Ken* —2B **34**
Lovell Clo. *Exh* —6E **4**
Lovell Rd. *Bed* —3F **5**
Loverock Cres. *Rugby* —7G **29**
Lower Eastern Green. —4J 13
Lwr. Eastern Grn. La. *Cov* —4K **13**
Lwr. Ford St. *Cov* —5K **15** (2G **3**)
(in two parts)
Lwr. Hillmorton Rd. *Rugby* —5H **15** (3C **2**)
Lwr. Holyhead Rd. *Cov* —5H **15** (3C **2**)
Lwr. Ladyes Hills. *Ken* —2C **34**
Lower Ladyes Hills. —3B 34
Lowe Rd. *Cov* —5F **9**
Lwr. Precinct. *Cov* —5J **15** (3D **2**)
Lower Rd. *Barn* —1K **11**
Lower Stoke. —6C 16
Lower St. *Rugby* —1K **33**
Loweswater Rd. *Bin* —7G **11**
Lowry Clo. *Bed* —3F **5**
Lowther St. *Cov* —4H **16**
Loxley Clo. *Cov* —5F **11**
Loxley Ct. *Cov* —5F **11**
Lucas Ct. *Rugby* —5D **28**
Lucian Clo. *Cov* —1K **17**
Ludlow Rd. *Cov* —6G **15** (5A **2**)

Luff Clo. *Cov* —1D **22**
Lulworth Pk. *Ken* —2E **34**
Lumsden Clo. *Cov* —7H **11**
Lunar Clo. *Cov* —4D **20**
Lunn Av. *Ken* —5A **34**
Lupton Av. *Cov* —7G **11**
Luscombe Rd. *Cov* —7G **11**
Luther Way. *Cov* —4K **13**
Lutterworth Rd. *Cov* —3E **16**
Luxor La. *Alle* —7F **7**
Lydford Clo. *Cov* —1E **16**
Lydgate Ct. *Bed* —2E **4**
Lydgate Rd. *Cov* —3H **15**
Lymesy St. *Cov* —3K **21**
Lymington Clo. *Cov* —7K **9**
Lymington Dri. *Longf* —2D **10**
Lymore Cft. *Cov* —7J **11**
Lynbrook Rd. *Cov* —1D **20**
Lynchgate Clo. *Cov* —3C **20**
Lynchgate Rd. *Cov* —3C **20**
Lyndale Clo. *Cov* —5C **14**
(in two parts)
Lyndale Rd. *Cov* —5C **14**
Lyndhurst Clo. *Longf* —2D **10**
Lyndhurst Cft. *E Grn* —4G **13**
Lyndhurst Rd. *Rugby* —2H **33**
Lyne Ho. *Cov* —6F **11**
Lyng Clo. *Cov* —5A **14**
Lynmouth Rd. *Cov* —7G **11**
Lynton Rd. *Cov* —6B **10**
Lythalls La. *Cov* —5K **9**
Lythalls La. Ind. Est. *Cov* —6A **10**
Lytham Rd. *Rugby* —1K **31**
Lyttleton Clo. *Bin* —7J **17**

Macaulay Rd. *Cov* —4F **17**
Macaulay Rd. *Rugby* —3A **32**
Macbeth Clo. *Rugby* —4A **32**
Macdonald Rd. *Cov* —5F **17**
Macefield Clo. *Ald I* —4F **11**
Mackenzie Clo. *Cov* —1A **14**
Madden Pl. *Rugby* —7J **27**
Madeira Cft. *Cov* —6E **14**
Magnet La. *Rugby* —2J **31**
Magneto Rd. *Cov* —7E **16**
Magnolia Clo. *Cov* —4H **21**
Magpie Ho. *Cov* —3H **13**
Maguire Ind. Est. *Cov* —1K **19**
Maidavale Cres. *Cov* —4J **21**
Maidenhair Dri. *Rugby* —1F **29**
Main Rd. *Mer* —6A **6**
Main St. *Bil* —2J **31**
Main St. *Clift D* —4H **29**
Main St. *Long L* —5G **27**
Main St. *N'bld* —2J **27**
Main St. *Newt* —1J **29**
Main St. *T'ton* —7F **31**
Main St. *Wols* —5D **24**
Malam Clo. *Cov* —7A **14**
Mallory Way. *Gall P* —3A **10**
Mallow Way. *Rugby* —1E **28**
Malmesbury Rd. *Cov* —5G **9**
Malthouse La. *Ken* —1A **34**
Malvern Av. *Rugby* —1F **33**
Malvern Rd. *Bal C* —3A **18**
Malvern Rd. *Cov* —4F **15**
Manderley Clo. *Cov* —3G **13**
Mandrake Clo. *Cov* —3K **9**
Manfield Av. *Cov* —1J **17**
Manor Ct. *Ken* —2C **34**
Manor Est. *Wols* —6D **24**
Mnr. Hall M. *Cov* —3F **23**
Manor Ho. *Cov* —1H **17**
Manor Ho. Clo. *N'bld* —2K **27**
Manor Ho. Dri. *Cov* —6J **15** (6D **2**)
Manor La. *Clift D* —3J **29**
(in two parts)
Manor Rd. *Cov* —7J **15** (6D **2**)
Manor Rd. *Ken* —2B **34**
Manor Rd. *Rugby* —5D **28**
Manor Ter. *Cov* —5E **2**
Manor Yd. *Cov* —6J **15** (5E **2**)
Manse Clo. *Exh* —5E **4**
Mansel St. *Cov* —7A **10**
Mantilla Dri. *Cov* —4J **21**
Maple Av. *Exh* —5F **5**
Maplebeck Clo. *Cov* —5G **15**
Maple Gro. *Rugby* —5C **28**
Maples, The. *Bed* —4C **4**
Mapleton Rd. *Cov* —7F **9**
Mapperley Clo. *Cov* —7J **11**
March Way. *Cov* —2F **17**
Mardol Clo. *Cov* —1F **17**
Margaret Av. *Bed* —3E **4**
Margeson Clo. *Cov* —6G **17**
Margetts Clo. *Ken* —4B **34**
Marie Brock Clo. *Cov* —7A **14**

Marina Clo. *Cov* —2J **19**
Marion Rd. *Cov* —1K **15**
Market End. —4B 4
Mkt. End Clo. *Bed* —5B **4**
Market Pl. *Rugby* —6C **28**
Market St. *Rugby* —6C **28**
Market Way. *Cov* —6J **15** (4D **2**)
Marlborough Rd. *Cov* —6C **16**
Marlborough Rd. *Rugby* —1A **32**
Marlcroft. *Cov* —3G **23**
Marler Rd. *Cov* —2K **19**
Marlissa Dri. *Cov* —5A **10**
Marlow Clo. *Cov* —4B **14**
Marlston Wlk. *Cov* —4B **14**
Marlwood Clo. *Longf* —3B **10**
Marner Cres. *Cov* —2H **15**
Marner Rd. *Bed* —3E **4**
Marnhull Clo. *Cov* —4H **17**
Marriner's La. *Cov* —3B **14**
Marriott Rd. *Bed* —4B **4**
Marriott Rd. *Cov* —4H **15**
Marshall Rd. *Exh* —6D **4**
Marshbrook Clo. *Ald I* —5G **11**
Marshdale Av. *Cov* —4A **10**
Marshfield Dri. *Cov* —7D **20**
Marsh Ho. *Cov* —1J **17**
Marston. —4G 25
Marston Jabbett. —1K 5
Marston La. *Bed* —2F **5**
Martin Clo. *Cov* —4J **13**
Martindale Rd. *Exh* —6G **5**
Martin La. *Rugby* —3K **31**
Martins Rd. *Bed* —5C **4**
Martyrs Clo., The. *Cov* —1K **21**
Mary Herbert St. *Cov* —2K **21**
Mary Slessor St. *Cov* —3E **22**
Marystow Clo. *Alle* —7B **8**
Mason Rd. *Cov* —6B **10**
Masser Rd. *Cov* —3J **9**
Massers Yd. *Cov* —3C **10**
Matlock Rd. *Rugby* —2E **28**
Matlock Rd. *Cov* —2K **15**
Matterson Rd. *Cov* —3G **15**
Maudslay Rd. *Cov* —6E **14**
Maureen Clo. *Cov* —7G **13**
Mavor Dri. *Bed* —5B **4**
Mawnan Clo. *Exh* —6F **5**
Max Rd. *Cov* —3F **15**
Maxstoke Clo. *Cov* —6A **6**
Maxstoke La. *Mer* —4A **6** & 5A **6**
Maycock Rd. *Cov* —1K **15**
Mayfield. *Bed* —3F **5**
Mayfield Clo. *Bed* —3F **5**
Mayfield Dri. *Ken* —4E **34**
Mayfield Rd. *Cov* —1G **21** (7A **2**)
Mayflower Dri. *Cov* —6F **17**
May La. *Rugby* —1K **31**
Maynard Av. *Bed* —6B **4**
Mayo Dri. *Ken* —4C **34**
Mayor's Cft. *Cov* —2B **20**
May St. *Cov* —7A **10**
McDonnell Dri. *Exh* —1B **10**
McKinnell Cres. *Rugby* —7G **29**
McMahon Rd. *Bed* —6C **4**
Meadfoot Rd. *Cov* —3F **23**
Meadow Clo. *Ansty* —5B **12**
Meadow Ho. *Cov* —5H **15** (3B **2**)
Meadow Rd. *Cov* —3H **9**
Meadow Rd. *Rugby* —3K **27**
Meadow Rd. *Wols* —5E **24**
Meadow St. *Cov* —6H **15** (4B **2**)
Meadowsweet. *Rugby* —1E **28**
Meadway. *Cov* —2D **16**
Meadway N. *Cov* —2D **16**
Medhurst Clo. *Dunc* —7H **31**
Medina Rd. *Cov* —6A **10**
Medland Av. *Cov* —4F **21**
Meer End Rd. *Hon* —7A **18**
Meeting Ho. La. *Bal C* —2A **18**
Melbourne Ct. *Bed* —4E **4**
Melbourne Rd. *Cov* —6G **15**
Melfort Clo. *Cov* —6H **17**
Mellish Ct. *Rugby* —1A **32**
Mellish Rd. *Rugby* —1A **32**
Mellor Rd. *Rugby* —2K **33**
Mellowdew Rd. *Cov* —4E **16**
Mellowship Rd. *Cov* —3G **13**
Melrose Av. *Bed* —6B **4**
Melville Clo. *Exh* —6E **4**
Melville Clo. *Rugby* —1A **32**
Melville Rd. *Cov* —5G **15** (3A **2**)
Mercer Av. *Cov* —3C **16**
Mercer Ct. *Rugby* —2H **33**
Mercia Av. *Ken* —4A **34**
Mercia Bus. Village. *W'wd B* —3K **19**
Mercia Ho. *Cov* —5J **15** (3D **2**)
Meredith Rd. *Cov* —5F **17**
Meriden. —6A 6
Meriden Cross. —6A **6**

Meriden Hall Mobile Home Pk. *Mer*
—7A **6**
Meriden Rd. *Mer* —3A **12**
Meriden St. *Cov* —5H **15** (2B **2**)
Merrivale Rd. *Cov* —5E **14**
Merryfields Way. *Cov* —6H **11**
Mersey Rd. *Bulk* —7G **5**
Merttens Dri. *Rugby* —7B **28**
Merynton Av. *Cov* —3E **20**
Meschede Way. *Cov* —6H **15** (4F **3**)
Meschines St. *Cov* —3K **21**
Mews, The. *Bed* —4F **5**
Mews, The. *Ken* —5A **34**
Mews, The. *Rugby* —1J **33**
Michaelmas Rd. *Cov* —7J **15** (7D **2**)
Michel Ho. *Cov* —4K **15** (1G **3**)
Michell Clo. *Cov* —1D **22**
Mickleton Rd. *Cov* —7G **15** (7A **2**)
Middleborough Rd. *Cov* —5H **15** (2B **2**)
Middlecotes. *Cov* —7B **14**
Middlefield Dri. *Bin* —7J **17**
Middlemarch Bus. Pk. *Cov* —5F **23**
(nr. Siskin Dri.)
Middlemarch Bus. Pk. *Cov* —7E **22**
(nr. Siskin Parkway E.)
Middlemarch Rd. *Cov* —2H **15**
Middle Ride. *Cov* —3G **23**
Middle Stoke. —5D 16
Midland Air Mus. —6D **22**
Midland Rd. *Cov* —3A **16**
Midland Trad. Est. *Cov* —5A **10**
Mile La. *Cov* —7K **15** (6F **3**)
Miles Mdw. *Cov* —6D **10**
Milestone Dri. *Rugby* —2B **32**
Milestone Ho. *Cov* —4B **2**
Mile Tree La. *Cov* —1G **11**
Milford Clo. *Alle* —2B **14**
Millais Clo. *Bed* —2E **4**
Millbank M. *Ken* —2D **34**
Millbeck. *Brow* —2F **29**
Millburn Hill Rd. *Cov* —3B **20**
Mill Clo. *Cov* —4D **10**
Mill End. —2D 34
Mill End. *Ken* —2C **34**
Millers Clo. *Dunc* —6G **31**
Millers Dale Clo. *Rugby* —2E **28**
Mill Farm Clo. *Dunc* —7J **31**
Millfields Av. *Rugby* —2H **33**
Mill Hill. *Bag* —5K **21**
Mill Ho. Clo. *Cov* —1B **16**
Mill La. *Bin* —6H **17**
Mill La. *Bulk* —6G **5**
Mill La. *Clift D* —3E **29**
Mill Race La. *Cov* —4C **10**
Mill Rd. *Rugby* —4E **28**
Mill St. *Bed* —3F **5**
Mill St. *Cov* —5H **15** (1C **2**)
Mill Ter. *Bed* —1F **5**
Milner Clo. *Bulk* —7K **5**
Milner Cres. *Cov* —6G **11**
Milton Clo. *Bed* —5H **5**
Milton St. *Cov* —3C **16**
Milverton Rd. *Cov* —5E **10**
Minster Clo. *Cov* —5H **15** (3B **2**)
Minton Rd. *Cov* —7H **11**
Miranda Clo. *Cov* —2F **23**
Mitchell Av. *Cov* —2A **20**
Mitchell Rd. *Bed* —4G **5**
Moat Av. *Cov* —2B **20**
Moat Clo. *T'ton* —7F **31**
Moat Farm Dri. *Bed* —6A **4**
Moat Farm Dri. *Rugby* —3J **33**
Moat Ho. La. *Cov* —2C **20**
Modbury Clo. *Cov* —4K **21**
Molesworth Av. *Cov* —7C **16**
Momus Boulevd. *Cov* —6E **16**
Monks Cft., The. *Cov* —2J **21**
Monk's Fld. Clo. *Cov* —7F **13**
Monks Rd. *Bin* —2A **24**
Monks Rd. *Cov* —6B **16** (4K **3**)
Monkswood Cres. *Cov* —7F **11**
Monmouth Clo. *Cov* —5B **14**
Monmouth Clo. *Ken* —2B **34**
Montague Rd. *Rugby* —5K **31**
Montalt Rd. *Cov* —2K **21**
Montgomery Clo. *Cov* —5E **22**
Montgomery Dri. *Rugby* —1J **31**
Montjoy Clo. *Cov* —2F **23**
Montpellier Clo. *Cov* —3J **21**
Montrose Rd. *Rugby* —1C **32**
Moore Clo. *Longf* —3C **10**
Moorfield, The. *Cov* —7C **16**
Moorlands Av. *Ken* —5B **34**
Moor's La. *Hillm* —2K **33**
Moor St. *Cov* —7F **15**
Moreall Meadows. *Cov* —6D **20**
Morfa Gdns. *Cov* —3D **14**
Morgans Rd. *Cov* —4G **13**

Morland Clo. *Bulk* —7K **5**
Morland Rd. *Cov* —5J **9**
Morningside. *Cov* —1H **21** (7B 2)
Morris Av. *Cov* —4F **17**
Morris Clo. *N'bld* —3B **28**
Morson Cres. *Rugby* —7G **29**
Mortimer Rd. *Ken* —6B **34**
Morton Clo. *Cov* —6G **9**
Morton Gdns. *Rugby* —7D **28**
Mosedale. *Rugby* —2F **29**
Moseley Av. *Cov* —4G **15**
Moseley Rd. *Ken* —5D **34**
Moss Clo. *Rugby* —1A **32**
Mossdale Clo. *Cov* —2G **15**
Moss Gro. *Ken* —1D **34**
Mottistone Clo. *Cov* —3K **21**
Moultrie Rd. *Rugby* —7D **28**
Mountbatten Av. *Ken* —4E **34**
Mount Dri. *Bed* —3E **4**
Mount Fld. Ct. *Cov* —4A **16** (1H 3)
Mount Gdns. *Cov* —1H **21**
Mt. Nod Way. *Cov* —5A **14**
Mount Pleasant. —3E 4
Mt. Pleasant Rd. *Bed* —3E **4**
Mount St. *Cov* —6F **15**
Mount, The. *Cov* —1K **21**
Mowbray St. *Cov* —5B **16** (2K 3)
Moyeady Av. *Rugby* —2G **33**
Moyle Cres. *Cov* —4J **13**
Much Pk. St. *Cov* —6K **15** (4F 3)
Mulberry Rd. *Cov* —2C **16**
Mulberry Rd. *Rugby* —7H **27**
Mulliner St. *Cov* —3B **16**
Murrayian Clo. *Rugby* —6D **28**
Murray Rd. *Cov* —1G **15**
Murray Rd. *Rugby* —6D **28**
Mylgrove. *Cov* —6K **21**
Myrtle Gro. *Cov* —7F **15**

Nailcote Av. *Cov* —7G **13**
Nailcote La. *Berk* —3E **18**
Napier St. *Cov* —5A **16** (3J 3)
Napier St. Ind. Est. Cov —5A 16 (3J 3)
(off Napier St.)
Napton Grn. *Cov* —5A **14**
Narberth Way. *Cov* —1H **17**
Nares Clo. *Rugby* —1A **32**
Naseby Clo. *Bin* —7H **17**
Naseby Rd. *Cov* —1E **32**
Naul's Mill Ho. *Cov* —4H **15** (1C 2)
Navigation Way. *Cov* —7C **10**
Nayler Clo. *Rugby* —3E **28**
Neal Clo. *Bulk* —7J **5**
Neal Ct. *Cov* —7J **11**
Neale Av. *Cov* —2A **14**
Neal's Green. —1K 9
Nelson St. *Cov* —4A **16** (1J 3)
Nelson Way. *Cov* —1J **31**
Nene Clo. *Bin* —2F **23**
Nene Ct. *Rugby* —5J **27**
Nethermill Rd. *Cov* —3G **15**
Newall Clo. *Clift D* —4G **29**
New Ash Dri. *Cov* —3K **13**
New Bilton. —6A 28
Newbold Clo. *Bin* —7H **17**
Newbold Footpath. *Rugby* —5B **28**
(in two parts)
Newbold on Avon. —3A 28
Newbold Rd. *Rugby* —2A **28**
New Bldgs. *Cov* —5K **15** (3E 2)
Newby Clo. *Cov* —3A **22**
New Century Pk. *Cov* —7F **17**
Newcombe Rd. *Cov* —7F **15** (7A 2)
Newcomen Rd. *Bed* —6B **4**
Newcomen Rd. *Bed* —5B **4**
Newdigate Clo. *Bed* —3E **4**
Newdigate Rd. *Bed* —2E **4**
Newdigate Rd. *Cov* —2B **16**
Newey Av. *Bed* —6B **4**
Newey Dri. *Ken* —6C **34**
Newey Rd. *Cov* —4F **17**
Newfield Av. *Cov* —5D **34**
Newfield Rd. *Cov* —3J **15**
Newgate Ct. *Cov* —6K **15** (5G 3)
New Grn. Pk. Cvn. Site. *Cov* —1F **17**
Newhall Rd. *Cov* —1F **17**
Newhaven Clo. *Cov* —2E **14**
Newington Clo. *Cov* —2D **14**
Newland La. *Cov* —1H **9**
Newland Rd. *Cov* —3K **15**
Newland St. *Rugby* —6A **28**
Newman Clo. *Bed* —2F **5**
Newmarket Clo. *Cov* —3D **10**
Newnham La. *Brin* —1A **26**
Newnham Rd. *Cov* —3B **16**
Newport Rd. *Cov* —6K **9**
New Rd. *Ash G* —1J **9**

New Rd. *Cov* —6F **9**
Newstead Way. *Bin* —7K **17**
New St. *Bed* —4G **5**
New St. *Bulk* —7J **5**
New St. *Ken* —2B **34**
New St. *Ken* —6A **28**
Newton. —1J 29
Newton Bldgs. *Bed* —4F **5**
Newton Clo. *Cov* —1H **17**
Newton La. *Newt* —1J **29**
Newton Mnr. La. *Newt* —1E **28**
Newton Rd. *Newt* —1J **29**
Newtown Rd. *Bed* —4D **4**
(in two parts)
New Union St. *Cov* —6J **15** (5E 2)
Nicholls St. *Cov* —5B **16** (2K 3)
Nickson Rd. *Cov* —1J **19**
Nightingale La. *Cov* —1D **20**
(in two parts)
Niven Clo. *Alle* —2A **14**
Nod Ri. *Cov* —4A **14**
Nolan Clo. *Longf* —3K **9**
Nordic Drift. *Cov* —1J **17**
Norfolk St. *Cov* —5H **15** (3B 2)
Norman Ashman Coppice. *Bin W*
—2A **24**
Norman Av. *Cov* —6H **11**
Norman Pl. Rd. *Cov* —1E **14**
Norman Rd. *Rugby* —3B **28**
Northampton La. *Dunc* —6D **30**
(in two parts)
North Av. *Bed* —4H **5**
North Av. *Cov* —5C **16**
Northbrook Rd. *Cov* —7D **8**
Northcote Rd. *Rugby* —7B **28**
Northey Rd. *Cov* —7K **9**
Northfield Rd. *Cov* —6A **16** (5J 3)
Northfolk Ter. *Cov* —2B **20**
North Rd. *Clift D* —4H **29**
North St. *Cov* —3C **16**
North St. *Rugby* —6C **28**
Northumberland Rd. *Cov*
—5G **15** (3A 2)
Northvale Clo. *Ken* —2D **34**
North Vw. *Cov W* —6J **11**
Norton Hill Dri. *Cov* —2G **17**
Norton Leys. *Rugby* —3B **32**
Norton St. *Cov* —2F **3**
Norwich Dri. *Cov* —4H **21**
Norwood Gro. *Cov* —5G **11**
Nova Cft. *Cov* —4G **13**
Nuffield Rd. *Cov* —7C **10**
Nuneaton Rd. *Bed* —1F **5**
Nunts La. *Cov* —4H **9**
Nunts Pk. Av. *Cov* —3H **9**
Nutbrook Av. *Cov* —6J **13**

Oak Clo. *Bag* —7B **22**
Oak Clo. *Bed* —6J **5**
Oakdale Rd. *Bin W* —2A **24**
Oakey Clo. *Cov* —3B **10**
Oakfield St. *Cov* —3F **15**
Oakfield Rd. *Rugby* —7B **28**
Oakford Dri. *Cov* —2K **13**
Oakham Cres. *Bulk* —7K **5**
Oaklands Ct. *Ken* —6C **34**
Oaklands, The. *Cov* —6A **14**
Oak La. *Alle* —7G **7**
Oak La. Pk. Homes. *Alle* —6H **7**
Oakley Ct. *Bed* —5B **4**
Oakmoor Rd. *Cov* —4C **10**
Oak's Pl. *Longf* —4C **10**
Oaks Precinct. *Ken* —5A **34**
Oaks Rd. *Ken* —4A **34**
Oaks, The. *Bed* —4D **4**
Oak St. *Rugby* —7C **28**
Oak Tree Av. *Cov* —3G **21**
Oak Tree Rd. *Bin* —2J **23**
Oak Way. *Cov* —6H **13**
Oakworth Clo. *Cov* —7H **11**
Oban Rd. *Cov* —2B **10**
Oberon Clo. *Rugby* —4K **31**
Occupation Rd. *Cov* —5E **16**
Oddicombe Cft. *Cov* —4K **21**
Offa Dri. *Ken* —3C **34**
Okehampton Rd. *Cov* —4A **22**
Okement Gro. *Long L* —4H **27**
Olaf Pl. *Cov* —1J **17**
Old Chu. Rd. *Cov* —6B **10**
Old Colliery Trad. Est. *Ker E* —1F **9**
Old Crown M. *Cov* —3F **11**
Oldfield Rd. *Cov* —5D **14**
Oldham Av. *Cov* —4F **17**
Old Leicester Rd. *Rugby* —2C **28**
(in two parts)
Old Meeting Yd. *Bed* —3F **5**
Old Mill Av. *Cov* —4D **20**

Old Rd. *Mer* —6C **6**
Old Winnings Rd. *Ker E* —1F **9**
Olive Av. *Cov* —3F **17**
Oliver St. *Cov* —2B **16**
Oliver St. *Rugby* —6B **28**
Olivier Way. *Cross P* —7K **11**
Olton Av. *Cov* —4K **13**
Olympus Clo. *Alle* —7F **7**
Omar Rd. *Cov* —6F **17**
One O'Clock Ride. *Bin* —2C **24**
Onley La. *Rugby* —4E **32**
Onley Ter. *Cov* —2C **20**
Oratory Dri. *Cov* —3K **9**
Orchard Bus. Pk. *Rugby* —5C **28**
Orchard Ct. *Bin* —7J **17**
Orchard Cres. *Cov* —1J **21** (7D 2)
Orchard Dri. *Cov* —4G **13**
Orchard La. *Ken* —5E **34**
Orchard Retail Pk. *Cov* —5F **23**
Orchard St. *Bed* —1F **5**
Orchards, The. *Newt* —1H **29**
Orchard St. *Bed* —1F **5**
Orchard Way. *Rugby* —2K **31**
Orchid Way. *Cov* —1F **29**
Ordnance Rd. *Cov* —3A **16**
Orion Cres. *Cov* —5G **11**
Orlando Clo. *Rugby* —4K **31**
Orlescote Rd. *Cov* —3D **20**
Orpington Dri. *Cov* —3K **9**
Orson Leys. *Rugby* —3B **32**
Orton Rd. *Cov* —4J **9**
Orwell Clo. *Clift D* —4J **29**
Orwell Ct. *Cov* —4K **15** (1G 3)
Orwell Rd. *Cov* —7B **16** (6K 3)
Osbaston Clo. *Cov* —4J **13**
Osborne Rd. *Cov* —1G **21**
Oslo Gdns. *Cov* —1J **17**
Osprey Clo. *Cov* —1K **17**
Oswald Way. *Rugby* —6K **27**
Oswin Gro. *Cov* —4E **16**
Othello Clo. *Rugby* —5K **31**
Outermarch Rd. *Cov* —1J **15**
Outwoods. —1A 6
Oval Rd. *Rugby* —2F **33**
Overberry Clo. *Cov* —5F **11**
Overdale Rd. *Cov* —6J **9**
Overslade. —2A 32
Overslade Cres. *Cov* —1E **14**
Overslade La. *Rugby* —3K **31**
Overslade Mnr. Dri. *Rugby* —2B **32**
Over St. *Cov* —7C **10**
Owenford Rd. *Cov* —7J **9**
Ox Clo. *Cov* —2C **16**
Oxendon Way. *Bin* —7G **17**
Oxford Rd. *Ryton D & Prin* —7G **23**
Oxford St. *Cov* —5A **16** (3J 3)
Oxford St. *Rugby* —6E **28**
Oxhayes Clo. *Bal C* —3A **18**
Oxley Dri. *Cov* —6J **21**

Packington Av. *Cov* —2B **14**
Packwood Av. *Rugby* —6K **33**
Packwood Grn. *Cov* —5A **14**
Paddocks Clo. *Wols* —6E **24**
Paddock, The. *Newt* —1H **29**
Paddox Clo. *Cov* —2H **33**
Padstow Rd. *Cov* —1J **19**
Page Rd. *Cov* —2J **19**
Paget Ct. *Cov* —4D **10**
Pailton Clo. *Cov* —5E **10**
Pake's Cft. *Cov* —3G **15**
Palermo Av. *Cov* —3A **22**
Palmer La. *Cov* —5J **15** (3E 2)
Palmer Pl. *Bed* —3F **5**
Palmer's Clo. *Rugby* —2K **33**
Palmerston Rd. *Cov* —1F **21**
Palm Tree Av. *Cov* —5E **10**
Pancras Clo. *Cov* —6G **11**
Pandora Rd. *Cov* —1G **17**
Pangbourne Rd. *Cov* —7E **10**
Pangfield Pk. *Cov* —4C **14**
Pantolf Pl. *Rugby* —2A **28**
Papenham Grn. *Cov* —1A **20**
Paradise. —2B 16
Paradise St. *Cov* —7K **15** (6G 3)
Paradise St. *Rugby* —6E **28**
Paradise Way. *Cov W* —6J **11**
Paragon Way. *Bay I* —6F **5**
Parbrook Clo. *Cov* —1J **19**
Park Av. *Cov* —4J **9**
Park Clo. *Ken* —3D **34**
Park Ct. *Bed* —2B **14**
Park Ct. *Rugby* —5C **28**
Parkend. *Brow* —2E **28**
Parkfield Dri. *Ken* —3D **34**
Parkfield Rd. *Ker E* —1G **9**
Parkfield Rd. *Rugby* —2K **27**
Parkgate Rd. *Cov* —4H **9**

Park Hill. —2E 34
Park Hill. *Ken* —2C **34**
Parkhill Dri. *Cov* —4K **13**
Park Hill La. *Alle* —3A **14**
Parkland Clo. *Cov* —4J **9**
Park La. *Berk* —7A **12**
Park Paling, The. *Cov* —2A **22**
Park Rd. *Bed* —4F **5**
Park Rd. *Cov* —7J **15** (6E 2)
Park Rd. *Ken* —2C **34**
Park Rd. *Rugby* —5C **28**
Parkside. *Cov* —6K **15** (5F 3)
Parkstone Rd. *Cov* —5B **10**
Park St. *Cov* —1A **16**
Park St. Ind. Est. *Cov* —1K **15**
Park Vw. *Cov* —6C **16**
Pk. View Clo. *Exh* —6E **4**
Parkview Flats. *Cov* —7H **15** (7B 2)
Parkville Clo. *Cov* —4J **9**
Park Wlk. *Rugby* —5C **28**
Parkway. *Cross P* —7K **11**
Parkwood Ct. *Ken* —3D **34**
Park Wood La. *Cov* —2H **19**
Parnell Clo. *Rugby* —6B **28**
Parrotts Gro. *Cov* —2F **11**
(in two parts)
Parry Rd. *Cov* —1D **16**
Parsons Nook. *Cov* —3C **16**
Partridge Cft. *Cov* —6C **10**
Patricia Clo. *Cov* —7G **13**
Patterdale. *Rugby* —2F **29**
Pauline Av. *Cov* —5D **10**
Paul Stacey Ho. *Cov* —1H **3**
Pavilion Way. *Cov* —5F **15**
Paxmead Clo. *Cov* —6J **9**
Paxton Rd. *Cov* —4G **15** (1A 2)
Paynell Clo. *Cov* —5B **9**
Paynes La. *Cov* —5B **16** (2K 3)
Paynes La. *Rugby* —6K **27**
Peacock Av. *Cov* —6H **11**
Pearl Hyde Ho. *Cov* —1G **3**
Pears Clo. *Ken* —3B **34**
Pearson Av. *Cov* —6D **10**
Pear Tree Clo. *Cov* —5D **10**
Pear Tree Way. *Rugby* —1H **31**
Peat Clo. *Rugby* —1A **32**
Pebworth Clo. *Cov* —5B **14**
Peel Clo. *Cov* —2A **16**
Peel La. *Cov* —3B **16**
Peel St. *Cov* —2A **16**
Pegmill Clo. *Cov* —1B **22**
Pembroke Clo. *Bed* —5A **4**
Pembrook Rd. *Cov* —5J **9**
Pembury Av. *Cov* —4C **10**
Penarth Gro. *Bin* —2H **23**
Pencraig Clo. *Ken* —3E **34**
Pendenis Clo. *Cov* —7C **10**
Pendred Rd. *Rugby* —6A **28**
Penn Ho. *Cov* —7K **13**
Pennington M. *Cov* —6B **28**
Pennington St. *Rugby* —6B **28**
(in two parts)
Pennington Way. *Cov* —7A **10**
Penny Pk. La. *Cov* —4F **9**
Penrith Clo. *Cov* —5J **9**
Penrose Clo. *Cov* —2A **20**
Penryhn Clo. *Ken* —3E **34**
Pensilva Way. *Cov* —4A **16** (1J 3)
Pepper La. *Cov* —6J **15** (4E 2)
Pepys Corner. *Cov* —5J **13**
Percival Rd. *Rugby* —2F **33**
Percy Cres. *Ken* —6A **34**
Percy Rd. *Ken* —6A **34**
Percy St. *Cov* —5H **15** (3B 2)
Peregrine Dri. *Cov* —3A **14**
Perkins Gro. *Rugby* —1H **33**
Perkins St. *Cov* —5K **15** (2G 3)
Permian Clo. *Rugby* —3E **28**
Pershore Pl. *Cov* —3E **20**
Perth Ri. *Cov* —4A **14**
Peter Lee Wlk. *Cov* —2J **17**
Peters Wlk. *Longf* —3C **10**
Petitor Cres. *Cov* —7E **10**
Pettiver Cres. *Rugby* —1H **33**
Peverill Dri. *Cov* —4H **21**
Peyto Clo. *Cov* —5H **9**
Pheasant Clo. *Bed* —5B **4**
Phillip Docker Ct. *Bulk* —7H **5**
Phipp Ho. *Rugby* —2J **33**
Phipps Av. *Rugby* —1H **33**
(in two parts)
Phoenix Ho. *Cov* —1G **3**
Phoenix Pk. *Bay I* —7F **5**
Phoenix Way. *Cov* —6B **16**
Phoenix Way. *Longf & Cov* —3A **10**
Pickard Clo. *Rugby* —2G **29**
Pickford. —7H 7
Pickford Grange La. *Alle* —1G **13**

Pickford Green. —1G 13
Pickford Grn. La. *Cov* —3G 13
Pickford Way. *Cov* —2A 14
Piker's La. *Cor* —4A 8
Pilgrims La. *Newt* —1H 29
Pilkington Rd. *Cov* —7D 14
Pillar Box Cotts. *Cor* —1H 7
Pilling Clo. *Cov* —7H 11
Pinders Clo. *Rugby* —6D 28
Pinders La. *Rugby* —5D 28
(in two parts)
Pine Gro. *Rugby* —1J 33
Pines, The. *Bed* —4C 4
Pines, The. *Cov* —2H 19
Pine Tree Av. *Cov* —6A 14
Pine Tree Ct. *Bed* —2G 5
Pine Tree Rd. *Bed* —2G 5
Pinewood Dri. *Bin W* —2A 24
Pinewood Gro. *Cov* —1H 21
Pinfold St. *Rugby* —6A 28
Pinkett's Booth. —6G 7
Pinley. —2E 22
Pinley Fields. *Cov* —1D 22
Pinner's Cft. *Cov* —3C 16
Pinnock Pl. *Cov* —7K 13
Pioneer Ho. *Cov* —1H 3
Pipers La. *Ken* —3C 34
Pipewell Clo. *Rugby* —1J 31
Plantagenet Dri. *Rugby* —4A 32
Plants Hill Cres. *Cov* —1J 19
Plexfield Rd. *Rugby* —1J 31
Pleydell Clo. *Cov* —4E 22
Plomer Clo. *Rugby* —2J 31
Plowman St. *Rugby* —6B 28
Plymouth Clo. *Cov* —1E 16
Poitiers Rd. *Cov* —3K 21
Polporro Dri. *Cov* —3A 14
Pomeroy Clo. *Cov* —2H 19
Pondthorpe. *Cov* —3G 23
Pontypool Av. *Bin* —3H 23
Pool Clo. *Rugby* —2K 31
Poole Rd. *Cov* —2F 15
Poolside Gdns. *Cov* —4G 21
Pope St. *Rugby* —6A 28
Poplar Av. *Bed* —4H 5
Poplar Gro. *Rugby* —5C 28
Poplar Ho. *Bed* —4H 5
Poplar Rd. *Cov* —7F 15
Poppy Dri. *Rugby* —1G 29
Poppyfield Ct. *Cov* —6D 20
Porchester Clo. *Bin* —6J 17
Porlock Clo. *Cov* —4A 22
Porter Clo. *Cov* —1J 19
Portland Pl. *Rugby* —7F 29
Portland Rd. *Rugby* —7F 29
Portree Av. *Cov* —6H 17
Portway Clo. *Cov* —1J 19
Portwinkle Av. *Cov* —2C 16
Postbridge Rd. *Cov* —4K 21
Potter's Green. —6G 11
Potter's Grn. Rd. *Cov* —6G 11
Potters Rd. *Bed* —5C 4
Potton Clo. *Cov* —3G 23
Potts Clo. *Ken* —4E 34
Poultney Rd. *Cov* —2G 15
Pound Clo. *Berk* —5B 12
Powell Rd. *Cov* —4C 16
Powis Gro. *Ken* —3E 34
Precinct, The. *Cov* —6J 15 (4D 2)
Prentice Clo. *Long L* —4H 27
Preston Clo. *Cov* —2K 19
Pretorian Way. *Gleb F* —2C 28
Pridmore Rd. *Cov* —1K 15
(in two parts)
Primrose Clo. *Rugby* —1G 29
Primrose Hill St. *Cov* —4K 15 (1G 3)
Prince of Wales Rd. *Cov* —5E 14
Princes Clo. *Cov* —1D 22
Princes Dri. *Ken* —1D 34
Princess St. *Cov* —1B 16
Princes St. *Rugby* —5C 28
Prince Thorpe Ct. *Bin* —2G 23
Princethorpe Way. *Bin* —2F 23
Prince William Clo. *Cov* —2E 14
Prior Deram Wlk. *Cov* —1B 20
Priorsfield Rd. *Cov* —4G 15
Priorsfield Rd. *Ken* —1A 34
Priorsfield Rd. N. *Cov* —4G 15
Priorsfield Rd. S. *Cov* —4G 15
Priors Harnall. *Cov* —4A 16 (1H 3)
Priors, The. *Bed* —4G 5
Priory Cft. *Ken* —4B 34
Priory Rd. *Ken* —3B 34
Priory Rd. *Wols* —5F 25
Priory Row. *Cov* —5K 15 (3F 3)
Priory St. *Cov* —5K 15 (4F 3)
Privet Rd. *Cov* —5D 10
Proffitt Av. *Cov* —6C 10

Progress Clo. *Bin* —2J 23
Progress Way. *Bin I* —1J 23
Prospect Way. *Rugby* —4E 28
Providence St. *Cov* —7F 21
Pudding Bag La. *T'ton* —7F 31
Puma Way. *Cov* —7K 15 (6F 3)
Purcell Rd. *Cov* —7D 10
Purefoy Rd. *Cov* —1K 21
Pytchley Rd. *Rugby* —1E 32
Pyt Pk. *Cov* —4C 14

Quadrant, The. *Cov* —6J 15 (5D 2)
Quarry Clo. *Rugby* —2B 28
Quarryfield La. *Cov* —7A 16 (6H 3)
Quarry Rd. *Ken* —2A 34
Quarrywood Gro. *Cov* —4C 16
Queen Isabel's Av. *Cov* —1K 21
Queen Margaret's Rd. *Cov* —1B 20
Queen Mary's Rd. *Bed* —1G 5
Queen Mary's Rd. *Cov* —7K 9
Queen Philippa St. *Cov* —3K 21
Queen's Clo. *Ken* —5B 34
Queensferry Clo. *Rugby* —2J 31
Queensland Av. *Cov* —6F 15
Queens Rd. *Bret* —2J 25
Queens Rd. *Cov* —6H 15 (5C 2)
Queen's Rd. *Ken* —5B 34
Queen St. *Bed* —4G 5
Queen St. *Cov* —4K 15 (1G 3)
Queen St. *Rugby* —6C 28
Queenswood Ct. *Ker E* —3D 8
Queen Victoria Rd. *Cov* —6J 15 (5D 2)
(in two parts)
Queen Victoria St. *Rugby* —6E 28
Quillets Clo. *Cov* —6C 10
Quinn Clo. *Cov* —2C 22
Quinton Lodge. *Cov* —2K 21
Quinton Pde. *Cov* —2K 21
Quinton Pk. *Cov* —2K 21
Quinton Rd. *Cov* —7K 15 (7F 3)
Quorn Way. *Bin* —1G 23

Rabbit La. *Bed* —2A 4
Radcliffe Ho. *Cov* —5B 20
Radcliffe Rd. *Cov* —1F 21
Radford. —3G 15
Radford Circ. *Cov* —4H 15
Radford Ho. *Cov* —1G 15
Radford Radial. *Cov* —4J 15 (1D 2)
Radford Rd. *Cov* —1G 15 (1D 2)
Radnor Wlk. *W'grve S* —7H 11
Raglan Ct. *Cov* —5A 16 (2H 3)
Raglan Gro. *Ken* —3D 34
Raglan St. *Cov* —5A 16 (3H 3)
Railway St. *Long L* —5G 27
Railway Ter. *Bed* —4G 5
Railway Ter. *Rugby* —6D 28
Rainsbrook. —3E 32
Rainsbrook Av. *Rugby* —2G 33
Raleigh Rd. *Cov* —5D 16
Ralph Rd. *Cov* —3F 15
Ramsay Cres. *Cov* —1B 14
Ranby Rd. *Cov* —4B 16 (1K 3)
Randall Rd. *Ken* —5B 34
Randle St. *Cov* —3G 15
Rangemoor. *Cov* —3F 23
Rankine Clo. *Rugby* —2K 27
Rannock Clo. *Cov* —6J 17
Ransom Rd. *Cov* —7A 10
Ranulf Cft. *Cov* —2J 21
Ranulf St. *Cov* —2J 21
Raphael Clo. *Cov* —5C 14
Rathbone Clo. *Ker E* —1F 9
Rathbone Clo. *Rugby* —2J 33
Ratliffe Rd. *Rugby* —3B 32
Raven Cragg Rd. *Cov* —1E 20
Ravenglass. *Brow* —2F 29
Ravensdale Rd. *Cov* —5E 16
Ravensthorpe Clo. *Bin* —1G 23
Rawnsley Dri. *Ken* —2D 34
Raymond Clo. *Cov* —2B 10
Raynor Cres. *Bed* —5B 4
Reading Clo. *Cov* —4D 10
Read St. *Cov* —5A 16 (3J 3)
Recreation Rd. *Cov* —4C 10
Rectory Clo. *Alle* —2C 14
Rectory Clo. *Exh* —5E 4
Rectory Dri. *Exh* —5E 4
Rectory La. *Alle* —2C 14
Redcap Cft. *Cov* —3K 9
Redcar Rd. *Cov* —3A 16
Redditch Wlk. *Cov* —1J 17
Redesdale Av. *Cov* —4F 15
Redfern Av. *Ken* —2C 34
Redland Clo. *Ald I* —5G 11
Redland La. *Ryton D* —7J 23
Red La. *Burt G* —5F 19

Red La. *Cov* —3A 16
Red La. Ind. Est. *Cov* —2B 16
Red Lodge Dri. *Rugby* —2A 32
Redruth Clo. *Cov* —7C 10
Rees Dri. *Cov* —5J 21
Reeve Dri. *Ken* —4C 34
Reeves Green. —1F 19
Regency Ct. *Cov* —1F 21
Regency Dri. *Cov* —4F 21
Regency Dri. *Ken* —5B 34
Regent Pl. *Rugby* —5C 28
Regent St. *Bed* —2G 5
Regent St. *Cov* —7H 15 (6B 2)
Regent St. *Rugby* —6C 28
Regina Cres. *Cov* —1J 17
Regis Wlk. *Cov* —1H 17
Rembrandt Clo. *Cov* —5C 14
Remembrance Rd. *Cov* —3F 23
Renfrew Wlk. *Cov* —1A 20
Renison Rd. *Bed* —5C 4
Renolds Clo. *Cov* —6C 14
Renown Av. *Cov* —7D 14
Repton Dri. *Cov* —4H 23
Reservoir Rd. *Rugby* —3E 28
Rex Clo. *Cov* —1H 19
Reynolds Clo. *Rugby* —2K 33
Reynolds Rd. *Bed* —2E 4
Ribble Clo. *Bulk* —7H 5
Ribble Rd. *Cov* —6B 16
Richard Joy Clo. *Cov* —5J 9
Richards Clo. *Ken* —3B 34
Richardson Way. *Cross P* —7K 11
Richmond Rd. *Rugby* —7E 28
Richmond St. *Cov* —5C 16
Riddings, The. *Cov* —2D 20
Ridge Ct. *Cov* —2A 14
Ridgethorpe. *Cov* —4G 23
Ridgeway Av. *Cov* —3K 21
Ridgley Rd. *Cov* —7J 13
Rigdale Clo. *Cov* —6G 17
Riley Clo. *Ken* —4E 34
Riley Sq. *Cov* —6D 10
Ringway Hillcross. *Cov* —5H 15 (3C 2)
Ringway Queens. *Cov* —6H 15 (5C 2)
Ringway Rudge. *Cov* —6H 15 (4C 2)
Ringway St Johns. *Cov* —6K 15 (5F 3)
Ringway St Nicholas. *Cov* —5J 15 (2D 2)
Ringway St Patrick's. *Cov* —7J 15 (6D 2)
Ringway Swanswell. *Cov* —5K 15 (1F 3)
Ringway Whitefriars. *Cov* —6K 15 (3G 3)
Ringwood Highway. *Cov* —5G 11
Ripon Clo. *Alle* —7A 8
Risborough Clo. *Cov* —5C 14
River Clo. *Bed* —5D 4
River Ct. *Cov* —5H 15 (3B 2)
Riverford Cft. *Cov* —5D 20
Riverside Clo. *Cov* —2B 22
River Wlk. *Cov* —5E 10
Roadway Clo. *Bed* —4F 5
Robbins Ct. *Rugby* —3H 33
Robert Clo. *Cov* —5E 22
Robert Cramb Av. *Cov* —1K 19
Robert Hill Clo. *Hillm* —1J 33
Robert Rd. *Exh* —6D 4
Robertson Clo. *Clift D* —4J 29
Robin Hood Rd. *Cov* —3E 22
Robinson Rd. *Bed* —6B 4
Robotham Clo. *Rugby* —3B 28
Rocheberie Way. *Rugby* —2B 32
Rochester Rd. *Cov* —1E 20
Rock Clo. *Cov* —6D 10
Rocken End. *Cov* —7K 9
Rock La. *Cor* —1C 8
Rocky La. *Ken* —5E 34
(in two parts)
Rodhouse Clo. *Cov* —7H 13
Rodney Clo. *Rugby* —1J 31
Rodway Dri. *Cov* —4H 13
Rokeby St. *Rugby* —6F 29
Roland Av. *Cov* —4H 9
Roland Mt. *Cov* —4J 9
Rollason Clo. *Cov* —7J 9
Rollason Rd. *Cov* —7H 9
Rollasons Yd. *Cov* —4C 10
Roman Army Mus. —6A 22
Roman Rd. *Cov* —5D 16
Roman Way. *Cov* —6K 21
Roman Way. *Gleb F* —2C 28
Romford Rd. *Cov* —5H 9
Ro-Oak Rd. *Cov* —3F 15
Rookery La. *Cov* —3H 9
Roosevelt Dri. *Cov* —6J 13
Rootes Halls. *Cov* —5C 20
Roper Clo. *Rugby* —2J 33
Rosaville Cres. *Alle* —2A 14

Rose Av. *Cov* —3F 15
Roseberry Av. *Cov* —6D 10
Rose Cotts. *Cov* —3H 13
Rose Cft. *Ken* —2A 34
Rosegreen Clo. *Cov* —3A 22
Rosehip Dri. *Cov* —2D 16
Roseland Rd. *Ken* —5B 34
Roselands Av. *Cov* —7F 11
Rosemary Clo. *Cov* —5J 13
Rosemary Hill. *Ken* —3B 34
Rosemary M. *Ken* —3B 34
Rosemount Clo. *Cov* —1G 17
Rosemullion Clo. *Exh* —6F 5
Rosewood Av. *Rugby* —2C 32
Ross Clo. *Cov* —3A 14
Rosslyn Av. *Cov* —2E 14
Rotherham Rd. *Cov* —5H 9
Rothesay Av. *Cov* —6B 14
Rothley Dri. *Rugby* —2G 29
Roughknowles Rd. *Cov* —3H 19
Council La. *Cov* —7A 34
Round Av. *Long L* —4G 27
Round Ho. Rd. *Cov* —1C 22
Rounds Gdns. *Rugby* —6B 28
Rounds Hill. *Ken* —6A 34
Round St. *Rugby* —6B 28
Rover Rd. *Cov* —6J 15 (4D 2)
Rowan Clo. *Bin W* —2B 24
Rowan Dri. *Rugby* —7H 27
Rowan Gro. *Cov* —5G 11
Rowan Ho. *W'wd* —3K 19
Rowans, The. *Bed* —4C 4
Rowcroft Rd. *Cov* —2J 17
Rowington Clo. *Cov* —3D 14
Rowland St. *Rugby* —5B 28
Rowley Dri. *Cov* —5D 22
Rowley Rd. *Bag & Cov* —6B 22
Rowleys Green. —3A 10
Rowley's Grn. *Longf* —3A 10
Rowleys Grn. Ind. Est. *Cov* —3A 10
Rowley's Grn. La. *Longf* —3A 10
Rowse Clo. *Rugby* —2E 28
Row, The. *Bag* —7B 22
Royal Cres. *Cov* —4E 22
Royal Oak La. *Bed & Cov* —7A 4
Royal Oak Yd. *Bed* —2F 5
Royston Clo. *Cov* —5J 17
Rubens Clo. *Cov* —5C 14
Rudgard Rd. *Longf* —3C 10
Rudge Rd. *Cov* —6H 15 (4C 2)
Rugby. —6C 28
Rugby Rd. *Bin W* —1K 23
Rugby Rd. *Bran* —4E 24
Rugby Rd. *Bulk* —7K 5
Rugby Rd. *Chu L* —4C 26
Rugby Rd. *Clift D* —4H 29
Rugby Rd. *Dunc* —7K 31
Rugby Rd. *Harb M* —1J 27
Rugby Rd. *Long L* —5H 27
Rugby School Mus. —6C 28
Rugby Tourist Info. Cen. —6C 28
Runcorn Wlk. *Cov* —1J 17
Runnymede Dri. *Bal C* —4A 18
Rupert Brooke Rd. *Rugby* —3A 32
Rupert Rd. *Cov* —7H 9
Rushall Path. *Cov* —2B 20
Rushmoor Dri. *Cov* —5F 15
Rushton Clo. *Bal C* —2A 18
Ruskin Clo. *Cov* —2D 14
Ruskin Clo. *Rugby* —4B 32
Russell Av. *Dunc* —6K 31
Russell St. *Cov* —4K 15 (1F 3)
Russell St. N. *Cov* —4K 15
Russelsheim Way. *Rugby* —7C 28
Rutherglen Av. *Cov* —3C 22
Rutland Cft. *Bin* —1H 23
Rydal Clo. *Alle* —7B 8
Rydal Clo. *Rugby* —3F 29
Rye Hill. *Cov* —2A 14
Rye Hill La. *Cov* —2A 14
Ryelands, The. *Law H* —3C 30
Rye Piece Ringway. *Bed* —3F 5
Ryhope Clo. *Bed* —5A 4
Ryley St. *Cov* —5J 15 (3C 2)
Rylston Av. *Cov* —6G 9
Ryton. —6K 5
Ryton Clo. *Cov* —1B 20
Ryton Organic Gardens. —7C 24

Sackville Ho. *Cov* —1H 3
Saddington Rd. *Bin* —1G 23
Sadler Clo. *Cov* —6G 9
Saffron Clo. *Rugby* —1G 29
St Agatha's Rd. *Cov* —5C 16
St Agnes La. *Cov* —5J 15 (2E 2)
St Andrews Cres. *Rugby* —2C 32
St Andrew's Rd. *Cov* —1F 21
St Anne's Rd. *Cov* —1A 32

St Ann's Rd. *Cov* —5C **16**
St Augustine's Wlk. *Cov* —1G **15**
St Austell Rd. *Cov* —5G **17**
St Bartholomews Clo. *Bin* —6J **17**
St Bernards Wlk. *Cov* —3F **23**
St Catherine's Clo. *Cov* —1D **22**
St Catherines Lodge. *Cov* —4G **15**
St Christian's Cft. *Cov* —1A **22** (7G **3**)
St Christian's Rd. *Cov* —1A **22**
St Clements Ct. *Cov* —7F **11**
St Columbas Clo. *Cov* —4J **15** (1D **2**)
St Davids Clo. *Bin* —2H **23**
St Elizabeth's Rd. *Cov* —1A **16**
St Georges Av. *Rugby* —1C **32**
St George's Rd. *Cov* —6B **16** (7K **3**)
St Giles Rd. *Cov* —1K **9**
St Helen's Way. *Cov* —7B **8**
St Ives Rd. *Cov* —5F **17**
St James Ct. *Cov* —3G **23**
St James Gdns. *Bulk* —7J **5**
St James La. *Cov* —4E **22**
St John's Av. *Ken* —5B **34**
St Johns Av. *Rugby* —2G **33**
St John's Flats. *Ken* —5C **34**
St John's La. *Long L* —4G **27**
St John's St. *Ken* —6K **15** (5F **3**)
St John St. *Rugby* —5C **28**
St Jude's Cres. *Cov* —2F **23**
St Just's Rd. *Cov* —4H **17**
St Lawrence's Rd. *Cov* —6B **10**
St Leonard's Wlk. *Ryton D* —7J **23**
St Luke's Rd. *Cov* —4K **9**
St Margaret Rd. *Cov* —6B **16** (5K **3**)
St Mark's Av. *Rugby* —3J **31**
St Martin's Rd. *Cov* —5J **21**
St Mary's Abbey. —3A **34**
St Mary's Guildhall. —6K **15** (4F **3**)
St Mary Rd. *Cov* —6K **15** (4F **3**)
St Matthews St. *Rugby* —6C **28**
St Michael's Rd. *Cov* —5C **16**
St Nicholas Av. *Ken* —5B **34**
St Nicholas Clo. *Cov* —4J **15**
St Nicholas Ct. *Cov* —1B **16**
  (nr. Crabmill La.)
St Nicholas Ct. *Cov* —2H **15**
  (nr. Radford Rd.)
St Nicholas Rd. *Cov* —4J **15** (1D **2**)
St Osburgh's Rd. *Cov* —5C **16**
St Patricks Rd. *Cov* —6J **15** (6E **2**)
St Paul's Rd. *Cov* —2A **16**
St Peter's Rd. *Rugby* —7E **28**
St Thomas' Ct. *Cov* —6H **15** (5B **2**)
St Thomas Ho. *Cov* —5B **2**
St Thomas Rd. *Cov* —4C **10**
Salcombe Clo. *Cov* —3F **23**
Salford Clo. *Cov* —3C **16**
Salisbury Av. *Cov* —3J **21**
Salt La. *Cov* —6J **15** (4E **2**)
Sam Gault Clo. *Bin* —2H **23**
Sammons Way. *Cov* —7H **13**
Sampson Clo. *Cov* —6E **10**
Samuel Hayward Ho. Cov —6D **10**
  (off Roseberry Av.)
Samuel Va. Ho. *Cov* —4J **15** (1D **2**)
Sandby Clo. *Bed* —2E **4**
Sanders Rd. *Cov* —1D **10**
Sandford Clo. *Ald I* —4F **11**
Sandford Way. *Dunc* —7J **31**
Sandgate Cres. *Cov* —6F **17**
Sandhurst Gro. *Cov* —3H **15**
Sandilands Clo. *Cov* —4G **17**
Sandown Rd. *Cov* —5B **10**
Sandown Rd. *Rugby* —5E **28**
Sandpiper Rd. *Ald G* —4D **10**
Sandpits, The. *Bulk* —7J **5**
Sandpits, The. *Ker E & Cov* —5E **8**
Sandwick Clo. *Cov* —1H **23**
Sandy La. *Cov* —3J **15**
Sandy La. Bus. Pk. *Cov* —3J **15**
Sandy La. *New B* —6A **34**
Sandythorpe. *Cov* —3G **23**
Santos Clo. *Bin* —1H **23**
Sapcote Gro. *Cov* —3D **10**
Sapphire Clo. *Cov W* —6K **11**
Sapphire Ga. *Cov* —6E **16**
Saunders Av. *Bed* —4F **5**
Saunton Clo. *Alle* —6B **8**
Saunton Rd. *Rugby* —1A **32**
Saville Gro. *Ken* —2E **34**
Saxon Clo. *Bin W* —2B **24**
Saxon Rd. *Cov* —4D **16**
Scafell. *Rugby* —2F **29**
Scafell Clo. *Cov* —4A **14**
Scarborough Way. *Cov* —2K **19**
Scarman Ho. *Cov* —4B **20**
Scarman Rd. *Cov* —4B **20**
Scholfield Rd. *Ker E* —1G **9**
School Clo. *Cov* —6B **16**

Schoolfield Gro. *Rugby* —6B **28**
School Gdns. *Rugby* —1J **33**
School Ho. La. *Cov* —2J **17**
School La. *Exh* —7C **4**
School La. *Ken* —3B **34**
School Rd. *Bulk* —7H **5**
School St. *Chu L* —4B **26**
School St. *Dunc* —7J **31**
School St. *Hillm* —1J **33**
School St. *Long L* —5G **27**
School St. *Wols* —6E **24**
Scotchill, The. *Cov* —6G **9**
Scots Clo. *Rugby* —3J **31**
Scots La. *Cov* —2F **15**
Scott Rd. *Ken* —6A **34**
Seabroke Av. *Rugby* —6B **28**
Seaford Clo. *Cov* —3D **10**
Seagrave Rd. *Cov* —6A **16** (5H **3**)
Sealand Dri. *Bed* —3E **4**
Sear Hills Clo. *Bal C* —3A **18**
Seathwaite. *Rugby* —2E **28**
Sebastian Clo. *Cov* —4D **22**
Second Av. *Cov* —7C **10**
Sedgemere Gro. *Bal C* —4A **18**
Sedgemoor Rd. *Cov* —4D **22**
Sedlescombe Pk. *Rugby* —2B **32**
Seed Fld. Cft. *Cov* —2K **21**
Sefton Rd. *Cov* —3E **20**
Selborne Rd. *Rugby* —2K **31**
Selina Dix Ho. *Cov* —1G **3**
Selsey Clo. *Cov* —5E **22**
Selside. *Rugby* —2F **29**
Selworthy Rd. *Cov* —4K **9**
Senate Ho. *Cov* —5B **20**
Seneschal Rd. *Cov* —2A **22**
Sephton Dri. *Longf* —1E **10**
Servite Ho. *Ken* —5B **34**
Seven Stars Ind. Est. *Cov* —2C **22**
Severn Rd. *Cov* —7B **16** (7K **3**)
Sewall Highway. *Cov* —7C **10**
Seymour Clo. *Cov* —4E **22**
Seymour Pl. *Ken* —2A **34**
Seymour Rd. *Rugby* —3E **28**
Shadowbrook Rd. *Cov* —3G **15**
Shaftesbury Av. *Ker E* —1G **9**
Shaftesbury Rd. *Cov* —1F **21**
Shaft La. *Mer* —6J **21**
Shakespeare Av. *Bed* —4H **5**
Shakespeare Gdns. *Rugby* —2A **32**
Shakespeare St. *Cov* —3D **16**
Shakleton Rd. *Cov* —6G **15** (4A **2**)
Shanklin Rd. *Cov* —5D **22**
Shapfell. *Rugby* —2F **29**
Sharp Clo. *Cov* —5H **9**
Sharpley Ct. *Cov* —7J **11**
Sharratt Rd. *Bed* —4E **4**
Sheep St. *Rugby* —6C **28**
Sheldrake Rd. *Bin* —7J **17**
Shelfield Clo. *Cov* —5B **14**
Shelley Clo. *Bed* —5H **5**
Shelley Rd. *Cov* —5E **16**
Shelton Clo. *Bin* —1H **23**
Shelton Sq. *Cov* —6J **15** (4D **2**)
Shenstone Av. *Rugby* —1G **33**
Shepherd Clo. *Cov* —5K **13**
Sherbourne Clo. *Cov* —7J **15** (6E **2**)
Sherbourne Cres. *Cov* —4E **14**
Sherbourne St. *Cov* —6G **15** (4A **2**)
Sheridan Clo. *Rugby* —3B **32**
Sheriff Av. *Cov* —2B **20**
Sheriff Rd. *Rugby* —6F **29**
Sheriffs Orchard. *Cov* —6J **15** (5D **2**)
Sherington Av. *Cov* —4C **14**
Sherlock Rd. *Cov* —5D **14**
Sherwood Jones Clo. *Cov* —2H **15**
Shetland Clo. *Cov* —4A **14**
Shetland Rd. *Cov* —4D **22**
Shevlock Way. *Cov* —2C **16**
Shillingstone Clo. *Cov* —4J **17**
Shilton La. *Bulk* —7K **5**
Shilton La. *Cov & Shil* —5G **11**
Shipston Rd. *Cov* —2E **16**
Shirebrook Clo. *Cov* —5F **11**
Shire Clo. *Cov* —6D **10**
Shirlett Clo. *Cov* —3D **10**
Shirley Clo. *Mer* —3E **12**
Shirley Rd. *Cov* —1H **17**
Shorncliffe Rd. *Cov* —2D **14**
Shortlands. *Cov* —1K **9**
Shortley Rd. *Cov* —1A **22**
Short St. *Cov* —6K **15** (5G **3**)
Shortwood Ct. *Cov* —6H **11**
Shottery Clo. *Cov* —5B **14**
Showell La. *Mer* —5E **6**
Shrubberies, The. *Cov* —5E **20**
Shuckburgh Cres. *Rugby* —2F **33**
Shulmans Wlk. *Cov* —1F **17**
Shultern La. *Cov* —3C **20**
Shuna Cft. *Cov* —1J **17**

Shuttle St. *Cov* —7D **10**
Shuttleworth Rd. *Clift D* —4H **29**
Sibree Rd. *Cov* —5D **22**
Sibton Clo. *Cov* —4D **10**
Siddeley Av. *Cov* —7C **16**
Siddeley Av. *Ken* —5A **34**
Sidmouth Clo. *Cov* —1E **16**
Sidney Rd. *Rugby* —2F **33**
Silksby St. *Cov* —1K **21**
Silver Birch Av. *Bed* —4C **4**
Silverdale Clo. *Cov* —3D **10**
Silverstone Dri. *Gall P* —2A **10**
Silver St. *Cov* —5J **15** (2E **2**)
Silver St. *Newt* —1J **29**
Silverton Rd. *Cov* —1B **16**
Simon Ct. *Exh* —6E **4**
Simon Stone St. *Cov* —7B **10**
Singer Clo. *Cov* —7C **10**
Sir Henry Parkes Rd. *Cov* —2C **20**
Sir Thomas White's Rd. *Cov* —6F **15**
Sir William Lyons Rd. *Cov* —3C **20**
Sir Winston Churchill Pl. *Bin W* —2A **24**
Siskin Dri. *Cov* —6H **15**
Siskin Parkway E. *Mid B* —7E **22**
Siskin Parkway W. *Mid B* —7D **22**
Skiddaw. *Rugby* —2E **28**
Skipton Gdns. *Cov* —2D **16**
Skipworth Rd. *Bin* —6J **17**
Sky Blue Way. *Cov* —5A **16** (4H **3**)
Slade Rd. *Rugby* —7E **28**
Sleath's Yd. *Bed* —3F **5**
Sledmere Clo. *Cov* —4J **9**
Smalley Pl. *Ken* —4B **34**
Smarts Rd. *Bed* —5B **4**
Smercote Clo. *Bed* —5B **4**
Smithford Way. *Cov* —5J **15** (3D **2**)
Smith St. *Bed* —5C **4**
Smith St. *Cov* —3B **16**
Smithy La. *Chu L* —4B **26**
Snape Rd. *Cov* —3H **17**
Soden Clo. *Cov* —3F **23**
Solent Dri. *Cov* —6H **11**
Somerly Clo. *Bin* —1H **23**
Somerset Rd. *Cov* —3J **15**
Somers Rd. *Ker E* —1F **9**
Somers Rd. *Rugby* —6K **27**
Sommerville Rd. *Cov* —4E **16**
Sordale Cft. *Bin* —7J **17**
Sorrel Clo. *Cov* —1J **19**
Sorrel Dri. *Rugby* —1F **29**
Southam Clo. *Cov* —2J **19**
Southam Rd. *Dunc* —7J **31**
South Av. *Cov* —6C **16**
Southbank Ct. *Ken* —4B **34**
Southbank Rd. *Cov* —3E **14**
Southbank Rd. *Ken* —3B **34**
Southbrook Rd. *Rugby* —1C **32**
Southcott Way. *Cov* —6H **11**
Southey Rd. *Rugby* —3A **32**
Southfield Dri. *Ken* —2C **34**
Southfield Rd. *Rugby* —1E **32**
Southleigh Av. *Cov* —2F **21**
Southport Clo. *Cov* —4D **22**
South Ridge. *Cov* —4H **9**
South Rd. *Clift D* —4H **29**
South St. *Cov* —5A **16** (3J **3**)
South St. *Rugby* —5F **29**
S. View Rd. *Long L* —5F **27**
Sovereign Clo. *Ken* —7B **34**
Sovereign Rd. *Cov* —6F **15** (5A **2**)
  (in two parts)
Sovereign Row. *Cov* —6H **15** (4A **2**)
Sowe Common. —5G **11**
Sparkbrook St. *Cov* —5B **16** (2J **3**)
Sparta Clo. *Rugby* —3C **28**
Speedway La. *Bran* —2D **24**
Speedwell Clo. *Rugby* —2G **29**
Spencer Av. *Cov* —7G **15** (7A **2**)
Spencer Rd. *Cov* —7H **15** (7B **2**)
Spencer's La. *Berk* —6B **12**
Sphinx Dri. *Cov* —7D **16**
Spicer Pl. *Rugby* —1K **31**
Spindle St. *Cov* —2K **15**
Spinney Clo. *Bin W* —2C **24**
Spinney Path. *Cov* —4F **21**
Spinney, The. *Cov* —6D **20**
Spinney, The. *Long L* —4G **27**
Spitalfields. *Bed* —4G **5**
Spon Causeway. *Cov* —5G **15** (3A **2**)
Spon End. —5G **15**
Spon End. *Cov* —5G **15** (3A **2**)
Spon Ga. Ho. *Cov* —6G **15** (4A **2**)
Spon Street. —5H **15** (3C **2**)
Spon St. *Cov* —5H **15** (3C **2**)
Spring Clo. *Cov* —5A **16** (2J **3**)
Springfield. —5F **5**
Springfield Cres. *Bed* —4F **5**
Springfield Pl. *Cov* —4K **15**
Springfield Rd. *Cov* —4K **15**

Springhill Houses. *Rugby* —2E **32**
Spring La. *Ken* —3C **34**
Spring Rd. *Barn* —1K **11**
Spring Rd. *Cov* —7B **10**
Spring St. *Cov* —5A **16** (2J **3**)
Spring St. *Rugby* —6D **28**
Spring, The. —1B **34**
Spruce Rd. *Cov* —5E **10**
Square, The. *Dunc* —7J **31**
Square, The. *Ken* —4B **34**
Squires Cft. *Cov* —6H **11**
Squires Way. *Cov* —3D **20**
Stables, The. *Bulk* —6G **5**
Stadium Clo. *Cov* —5K **9**
Stafford Clo. *Bulk* —7J **5**
Staircase La. *Alle* —2C **14**
  (in two parts)
Stamford Av. *Cov* —3J **21**
Standard Av. *Cov* —7A **14**
Standish Clo. *Cov* —6G **17**
Stanier Av. *Cov* —5G **15** (2A **2**)
Stanley Rd. *Cov* —1F **21**
Stanley Rd. *Rugby* —1G **33**
Stanway Rd. *Cov* —1G **21** (7A **2**)
Staples Clo. *Bulk* —6J **5**
Starcross Clo. *Cov* —1E **16**
Stare Grn. *Cov* —3D **20**
Stareton Clo. *Cov* —3E **20**
Starley Ct. *Bin I* —2J **23**
Starley Pk. *Bay I* —6H **5**
Starley Rd. *Cov* —6H **15** (5C **2**)
Startin Clo. *Exh* —7D **4**
Station Av. *Cov* —1H **19**
Station Rd. *Bal C* —2H **19**
Station Rd. *Clift D* —4H **29**
Station Rd. *Ken* —4B **34**
Station Rd. *Rugby* —7J **15** (6D **2**)
Station St. E. *Cov* —1A **16**
Station St. W. *Cov* —7K **9**
Station Tower. *Cov* —7J **15** (6D **2**)
Staveley Way. *Rugby* —3F **29**
Staverton Clo. *Cov* —5K **13**
Staverton Leys. *Rugby* —3C **32**
Steele St. *Rugby* —6A **28**
Steeping Rd. *Long L* —4H **27**
Steeplefield Rd. *Cov* —3G **15**
Stennels Clo. *Cov* —7B **8**
Stephenson Rd. *Exh* —7G **5**
Stephen St. *Rugby* —6B **28**
Stepney Rd. *Cov* —4C **16**
Stepping Stones Rd. *Cov* —4F **15**
Stevenage Wlk. *Cov* —1J **17**
Stevens Ho. *Cov* —4K **15** (1G **3**)
Stevenson Rd. *Cov* —7G **9**
Stewart Clo. *Cov* —6D **14**
Stirling Rd. *Bin* —1H **23**
Stivichall. —4H **21**
Stivichall & Cheylesmore By-Pass. *Cov*
  —5A **22**
Stivichall Cft. *Cov* —3H **21**
Stocks La. *T'ton* —7F **31**
Stockton Rd. *Cov* —4A **16**
Stoke. —5F **17**
Stoke Aldermoor. —1C **22**
Stoke Floods Nature Reserve. —5H **17**
Stoke Grn. *Cov* —6C **16**
  (in two parts)
Stoke Grn. Cres. *Cov* —7D **16**
Stoke Heath. —2C **16**
Stoke Row. *Cov* —4C **16**
Stonebridge Highway. *Cov* —5J **21**
Stonebridge Ind. Est. *Cov* —5D **22**
  (in two parts)
Stonebrook Way. *Blac I* —4B **10**
Stonebury Av. *Cov* —4H **13**
Stonefield Clo. *Cov* —7J **11**
Stonehaven Dri. *Cov* —6J **21**
Stonehills. *Rugby* —2E **28**
Stonehouse La. *Cor* —1K **7**
Stonehouse La. *Cov* —5E **22**
Stoneleigh Av. *Cov* —2F **21**
Stoneleigh Av. *Ken* —2C **34**
Stoneleigh Rd. *Cov* —7D **20**
Stoneleigh Rd. *Ken* —2C **34**
Stoney Rd. *Cov* —7K **15** (7E **2**)
Stoney Stanton Rd. *Cov* —4K **15** (1F **3**)
Stoneywood Rd. *Cov* —7H **11**
Stowe Pl. *Cov* —7G **13**
Straight Mile. *Bour* —7A **30**
Stratford St. *Cov* —4C **16**
Strath Clo. *Rugby* —3J **33**
Strathmore Av. *Cov* —6A **16** (5H **3**)
Strawberry Fields. *Mer* —6A **6**
Strawberry Wlk. *Cov* —5F **11**
Streamside Clo. *Alle* —7A **8**
Stretton Av. *Cov* —4E **22**
Stretton Lodge. *Cov* —3E **22**
Stretton Rd. *Wols* —7E **24**
Stuart Ct. *Cov* —7C **10**

Stubbs Clo. *Bed* —2E **4**
Stubbs Clo. *Cov* —3D **16**
Studland Av. *Rugby* —1H **33**
Studland Grn. *Cov* —4J **17**
Sturley Clo. *Ken* —2D **34**
Sturminster Clo. *Cov* —4J **17**
Styvechale Av. *Cov* —1F **21**
Suffolk Clo. *Bed* —3E **4**
Suffolk Clo. *Cov* —5B **14**
Sulgrave Clo. *Cov* —1G **17**
Sullivan Ct. *Cov* —1D **16**
Sullivan Rd. *Cov* —1D **16**
Sunbeam Clo. *Rugby* —6E **28**
Sunbridge Ter. *Rugby* —6E **28**
Sunbury Rd. *Cov* —4E **22**
Suncliffe Dri. *Ken* —6B **34**
Sundew St. *Cov* —5F **11**
Sundorne Clo. *Cov* —4A **14**
Sunningdale Av. *Cov* —5K **9**
Sunningdale Av. *Ken* —4D **34**
Sunnybank Av. *Cov* —4D **22**
Sunnyside Clo. *Bal C* —2A **18**
Sunnyside Clo. *Cov* —5F **15**
Sunnyside La. *Bal C* —2A **18**
Sunnyside Ter. *Bal C* —2A **18**
Sunshine Clo. *Ken* —6C **34**
Sun St. *Rugby* —6E **28**
Sunway Gro. *Cov* —3H **21**
Sussex Rd. *Cov* —4F **15**
Sutherland Av. *Cov* —4A **14**
Sutherland Dri. *Bed* —2E **4**
Sutton Av. *Cov* —3G **13**
Sutton Stop. *Longf* —2D **10**
Swallow Cl. *Bed* —6A **4**
Swallowdean Rd. *Cov* —7E **8**
Swallow Rd. *Cov* —6J **9**
Swanage Grn. *Cov* —4J **17**
Swan Cft. Rd. *Cov* —3B **18**
Swan La. *Cov* —4B **16**
Swanswell St. *Cov* —4K **15** (1G **3**)
Swift Clo. *Ken* —6C **34**
Swift Pk. *Rugby* —2C **28**
Swift Point. *Swift I* —1B **28**
Swift's Corner. *Cov* —1A **22**
Swift Valley Ind. Est. *Swift I* —1B **28**
Swillington Rd. *Cov* —3H **15**
Swinburne Av. *Cov* —6F **17**
Swindale Cft. *Bin* —1H **23**
Sycamore Gro. *Rugby* —5C **28**
Sycamore Rd. *Cov* —5D **10**
Sycamores, The. *Bed* —4C **4**
Sydnall Fields. *Longf* —3B **10**
Sydnall Rd. *Cov* —3B **10**
Sydney Ct. *Bed* —4E **4**
Sylvan Dri. *Cov* —3F **21**
Synkere Clo. *Ker E* —1G **9**
Sywell Leys. *Rugby* —4B **32**

Table Oak La. *Ken* —7A **18**
Tachbrook Clo. *Cov* —5E **10**
Tackford Rd. *Cov* —7C **10**
Tainters Hill. *Ken* —2B **34**
Talisman Clo. *Ken* —5B **34**
Talisman Sq. *Ken* —4B **34**
Talland Av. *Cov* —2C **16**
Tallants Clo. *Cov* —7C **10**
Tallants Rd. *Cov* —7B **10**
Tamar Clo. *Bulk* —6H **5**
Tamar Clo. *Long L* —4H **27**
Tamar Rd. *Bulk* —7G **5**
Tamworth Rd. *Cor & Cov* —1C **8**
(in two parts)
Tanner's La. *Berk & Cov* —1E **18**
Tannery Ct. *Ken* —4B **34**
Tanyard Clo. *Cov* —7H **13**
Tapcon Way. *Cov* —3H **17**
Tappinger Gro. *Ken* —3E **34**
Tarlington Rd. *Cov* —2E **14**
Tarn Clo. *Bed* —4E **4**
Tarquin Clo. *Cov* —2F **23**
Tarragon Clo. *Cov* —6F **11**
Tarrant Wlk. *Cov* —3J **17**
Taunton Way. *Cov* —5G **9**
Tavistock Wlk. *Cov* —1E **16**
Taylor Clo. *Ken* —2D **34**
Tay Rd. *Cov* —2H **15**
Teachers Clo. *Cov* —3G **15**
Tea Garden, The. *Bed* —6C **4**
Teasel Clo. *Rugby* —1F **29**
Ted Pitts La. *Alle* —5B **8**
Telephone Rd. *Cov* —6E **16**
Telfer Rd. *Cov* —1H **15**
Telford Rd. *Exh* —6G **5**
Templar Av. *Cov* —7A **14**
Templar Ind. Pk. *Cov* —1B **20**
Templars' Fields. *Cov* —2B **20**
Temple St. *Rugby* —7E **28**
Tenby Clo. *Bed* —5A **4**

Teneriffe Rd. *Cov* —6B **10**
Tennant Clo. *Rugby* —1G **33**
Tennyson Av. *Rugby* —3A **32**
Tennyson Clo. *Ken* —4E **34**
Tennyson Rd. *Cov* —5E **16**
Ten Shilling Dri. *W'wd B* —3J **19**
Terry Rd. *Cov* —6B **16** (5K **3**)
Tewkesbury Dri. *Bed* —3G **5**
Thackeray Clo. *Rugby* —3B **32**
Thackhall St. *Cov* —4B **16** (1K **3**)
Thames Clo. *Bulk* —6G **5**
Thamley Rd. *Cov* —4G **15**
Thatchings, The. *Dunc* —7J **31**
Thebes Clo. *Alle* —7F **7**
Theddingworth Clo. *Cov* —1G **23**
Thickthorn Clo. *Ken* —5D **34**
Thickthorn M. *Ken* —6D **34**
Thickthorn Orchard. *Ken* —6D **34**
Thimbler Rd. *Cov* —2C **20**
Thirlestane Clo. *Ken* —2E **34**
Thirlmere. *Rugby* —2E **28**
Thirlmere Clo. *Cov* —5J **13**
Thirlmere Rd. *Bed* —4E **4**
Thirsk Rd. *Cov* —4J **21**
Thistle Way. *Rugby* —1F **29**
Thistley Fld. E. *Cov* —2F **15**
Thistley Fld. N. *Cov* —1G **15**
Thistley Fld. S. *Cov* —2F **15**
Thistley Fld. W. *Cov* —2F **15**
Thomas Hiko Ho. *Cov* —1H **3**
Thomas Landsdail St. *Cov*
—7K **15** (7F **3**)
Thomas La. St. *Cov* —6C **10**
Thomas Naul Cft. *Cov* —5K **13**
Thomas Sharp St. *Cov* —2A **20**
Thomas St. *Bed* —4E **4**
Thomas Way. *Long L* —4G **27**
Thompsons Rd. *Ker E* —1E **8**
Thomson Clo. *Rugby* —3D **28**
Thornby Av. *Ken* —5C **34**
Thorn Clo. *Rugby* —3E **28**
Thorney Rd. *Cov* —2D **16**
Thornhill Rd. *Cov* —3K **15**
Thornton Clo. *Cov* —4G **13**
Threadneedle St. *Cov* —2K **15**
Three Spires Av. *Cov* —3G **15**
Three Spires Junct. *Cov* —6A **10**
Thurlaston. —7F **31**
Thurlestone Rd. *Cov* —7F **9**
Thurnmill Rd. *Long L* —5J **27**
Tiber Clo. *Cov* —4K **13**
Tiber Way. *Gleb F* —2B **28**
Tideswell Clo. *Bin* —7J **17**
Tile Hill. —7J **13**
Tile Hill La. *Cov* —7H **13**
Tilehurst Dri. *Cov* —6H **13**
Tilewood Av. *Cov* —4J **13**
Timber Ct. *Rugby* —7E **28**
Timothy Gro. *Cov* —7B **14**
Tintagel Clo. *Cov* —4F **23**
Tintagel Gro. *Ken* —4D **34**
Tintern Way. *Bed* —4G **5**
Tisdale Ri. *Ken* —2D **34**
Tiverton Gro. *Cov* —3F **17**
Tiverton Rd. *Cov* —3F **17**
Tiveycourt Rd. *Cov* —4C **10**
Tocil Cft. *Cov* —4D **20**
Tollard Clo. *Cov* —3H **17**
Tollbar End. —5E **22**
Tom Brown St. *Rugby* —5D **28**
Tom Ellis Ct. *Exh* —6D **4**
Tom Henderson Clo. *Bin* —2H **23**
Tomson Av. *Cov* —3H **15** (1B **2**)
Tom Ward Clo. *Cov* —2G **23**
Tonbridge Rd. *Cov* —3C **22**
Topp's Dri. *Bed* —5C **4**
Topp's Heath. *Bed* —5C **4**
Top Rd. *Barn* —1K **11**
Torbay Rd. *Cov* —4C **14**
Torcastle Clo. *Cov* —1B **16**
Torcross Av. *Cov* —3E **16**
Torpoint Clo. *Cov* —1E **16**
Torrance Rd. *Rugby* —6B **28**
Torrington Av. *Cov* —1H **19**
Torwood Clo. *W'wd B* —3K **19**
Totnes Clo. *Cov* —1E **16**
Tove Ct. *Long L* —4H **27**
Tower Rd. *Bed* —4E **4**
Tower Rd. *Rugby* —1E **32**
Towers Clo. *Ken* —6B **34**
Tower St. *Cov* —5J **15** (2E **2**)
Townfields Clo. *Cov* —1B **14**
Townsend Cft. *Cov* —2J **21**
Townsend La. *Long L* —4G **27**
Townsend Rd. *Cov* —1J **21**
Townsend Rd. *Rugby* —6F **29**
Trafalgar Ho. *Cov* —4B **2**
Tredington Rd. *Cov* —4K **13**

Treedale Clo. *Cov* —1H **19**
Treforest Rd. *Cov* —1E **22**
Tregorrick Rd. *Exh* —7E **4**
Tregullan Rd. *Exh* —6F **5**
Treherne Rd. *Cov* —7H **9**
Trelawney Rd. *Exh* —7E **4**
Trenance Rd. *Exh* —7E **4**
Treneere Rd. *Exh* —6F **5**
Trensale Av. *Cov* —4F **15**
Trentham Gdns. *Ken* —3E **34**
Trentham Rd. *Cov* —4J **15**
Trent Rd. *Bulk* —7G **5**
Tresillian Rd. *Exh* —6F **5**
Treviscoe Clo. *Exh* —7E **4**
Trevor Clo. *Cov* —1H **19**
Trevor White Dri. *Rugby* —1D **32**
Trevose Av. *Exh* —7F **5**
Trewint Clo. *Exh* —6F **5**
Triangle, The. *Alle* —4B **14**
Tribune Trad. Est. *Rugby* —3C **28**
Trinity Chyd. *Cov* —3E **2**
(in two parts)
Trinity Ct. *Rugby* —6D **28**
Trinity La. *Cov* —5J **15** (3E **2**)
Trinity St. *Cov* —5J **15** (3E **2**)
Triton Pk. *Swift I* —1B **28**
Triumph Clo. *Cov* —5G **17**
Trossachs Rd. *Cov* —5K **13**
Troubridge Wlk. *Rugby* —7J **27**
Troughton Cres. *Cov* —3G **15**
Troutbeck Rd. *Cov* —4K **13**
Troyes Clo. *Cov* —2K **21**
Truggist La. *Berk* —1B **18**
Tudor Av. *Cov* —5K **13**
Tudor Ct. *Exh* —7C **4**
Tulip Tree Av. *Ken* —3D **34**
Tulip Tree Ct. *Ken* —4D **34**
Tulliver Clo. *Bed* —2F **5**
Tulliver St. *Cov* —3H **15**
Turlands Clo. *Cov* —4J **17**
Turner Clo. *Bed* —2E **4**
Turner Clo. *Rugby* —2K **33**
Turner Rd. *Cov* —5D **14**
Turton Way. *Ken* —4E **34**
Tutbury Av. *Cov* —3E **20**
Tutbury La. *Bret* —2H **25**
Twelve O'Clock Ride. *Bin* —1C **24**
Tybalt Clo. *Cov* —4E **22**
Tylney Clo. *Bin* —6K **17**
Tynemouth Clo. *Cov* —2F **11**
Tynward Clo. *Cov* —4H **21**
Tysoe Cft. *Bin* —1H **23**

Ufton Cft. *Cov* —5A **14**
Ullswater Rd. *Bed* —4E **4**
Ullswater Rd. *Bin* —7G **17**
Ulverscroft Rd. *Cov* —2J **21**
Ulverston. *Brow* —2F **29**
Underhill Clo. *Cov* —6K **21**
Unicorn Av. *Cov* —4J **13**
Unicorn La. *Cov* —4K **13**
Union Pl. *Cov* —2B **10**
Union St. *Rugby* —7C **28**
Unity Ho. *Cov* —1G **3**
University of Warwick Science Pk. *Cov*
—3B **20**
University Rd. *Cov* —4B **20**
Uplands. *Cov* —3C **16**
Upper Eastern Green. —3H **13**
Up. Eastern Grn. La. *Cov* —3G **13**
Upperfield Way. *Bin* —7J **17**
(off Middlefield Dri.)
Up. Hill St. *Cov* —5H **15** (2C **2**)
Up. Ladyes Hill. *Cov* —2C **34**
Upper Ladyes Hills. —2C **34**
Upper Pk. *Cov* —4F **23**
Up. Precinct. *Cov* —5J **15** (3D **2**)
Upper Ride. *Cov* —4F **23**
Up. Rosemary Hill. *Ken* —3B **34**
Up. Spon St. *Cov* —5G **15** (3A **2**)
Up. Spring La. *Ken* —1B **34**
Upper Stoke. —4D **16**
Up. Well St. *Cov* —5J **15** (2D **2**)
Up. York St. *Cov* —7H **15** (6B **2**)
Upton Rd. *Rugby* —6K **27**
Utrillo Clo. *Cov* —5C **14**
Uxbridge Av. *Cov* —6E **16**

Vale Clo. *Rugby* —2J **33**
Vale, The. *Cov* —1D **22**
Valley Dri. *Rugby* —1C **28**
Valley Rd. *Cov* —2C **16**
Van Dyke Clo. *Cov* —5C **14**
Vanguard Av. *Cov* —7C **14**
Vanguard Cen. *Cov* —3C **20**
Vardon Dri. *Cov* —5K **21**
Vauxhall Clo. *Cov* —5A **16** (2J **3**)

Vauxhall St. *Cov* —5A **16** (2J **3**)
Vecqueray St. *Cov* —6A **16** (4J **3**)
Ventnor Clo. *Cov* —5G **17**
Verbena Clo. *Cov* —6D **10**
Vere Rd. *Rugby* —1H **33**
Vernon Av. *Rugby* —2G **33**
Vernon Clo. *Cov* —5A **16** (1J **3**)
Vernon Ct. *Cov* —5A **16** (1J **3**)
Vicarage Gdns. *Ken* —6C **34**
Vicarage Hill. *Clift D* —5G **29**
Vicarage La. *Ash G* —7A **4**
Vicarage La. *Dunc* —7K **31**
Vicarage Rd. *Rugby* —6B **28**
Victoria Av. *Rugby* —5B **28**
Victoria Ct. *Cov* —4D **14**
Victoria St. *Cov* —4A **16** (1H **3**)
Victoria St. *Rugby* —6A **28**
Victory Rd. *Cov* —7A **10**
Villa Clo. *Bulk* —7H **5**
Villa Cres. *Bulk* —7J **5**
Village M. *Rugby* —2K **31**
Villa Rd. *Cov* —2H **15**
Villiers Rd. *Ken* —3D **34**
Villiers St. *Cov* —5C **16**
Vincent St. *Cov* —6H **15** (4B **2**)
Vincent Wyles Ho. *Cov* —5G **17**
Vinecote Rd. *Longf* —4B **10**
Vine St. *Cov* —4A **16** (1G **3**)
Violet Clo. *Cov* —4E **10**
Violet Clo. *Rugby* —1G **29**
Virginia Rd. *Cov* —5A **16** (2H **3**)
Viscount Cen. *Cov* —3C **20**
Vogue Clo. *Cov* —5A **16** (2H **3**)

Wade Av. *Cov* —4H **21**
Wagon Overthrow. —7E 4
Wainbody Av. N. *Cov* —3G **21**
Wainbody Av. S. *Cov* —5F **21**
Wakefield Clo. *Bin* —2H **23**
Walford Pl. *Rugby* —2H **33**
Walkers Way. *Bed* —5D **4**
Wallace Rd. *Cov* —7G **9**
Wall Hill. —3A 8
Wall Hill Rd. *Cor & Alle* —1H **7**
Walnut St. *Cov* —5D **10**
Walnut Tree Clo. *Ken* —5C **34**
Walnut Way. *Rugby* —1H **31**
Walsall St. *Cov* —2A **20**
Walsgrave on Sowe. —1J 17
Walsgrave Gdns. *Cov* —1J **17**
Walsgrave Rd. *Cov* —5B **16** (3K **3**)
Walsgrave Triangle Bus. Pk. *Cov W*
—6J **11**
Walsh La. *Mer* —5C **6**
Walsingham Dri. *Berm I* —1E **4**
Walter Scott Rd. *Bed* —5G **5**
Walton Clo. *Bin* —2G **23**
Wanley Rd. *Cov* —3K **21**
Wansfell Clo. *Cov* —2A **20**
Wappenbury Clo. *Cov* —5E **10**
Wappenbury Rd. *Cov* —5F **11**
Warden Rd. *Cov* —2H **15**
Wardens Av., The. *Cov* —2B **14**
Wardens, The. *Ken* —3E **34**
Wareham Grn. *Cov* —3J **17**
Waring Way. *Dunc* —6K **31**
Warmington Clo. *Bin* —1G **23**
Warmwell Clo. *Cov* —4H **17**
Warner Row. *Cov* —1C **16**
Warren Grn. *Cov* —2K **19**
Warren Rd. *Rugby* —1F **33**
Warton Clo. *Ken* —4E **34**
Warwick Av. *Cov* —2J **15**
Warwick Ct. *Cov* —7J **15** (7D **2**)
(off Michaelmas Rd.)
Warwick Grn. *Bulk* —7J **5**
Warwick La. *Cov* —6J **15** (4E **2**)
Warwick Rd. *Cov* —1H **21** (7C **2**)
(in two parts)
Warwick Rd. *Ken* —4B **34**
Warwick Rd. *Leek W & Ken* —7C **34**
Warwick Rd. *Wols* —6D **24**
Warwick Row. *Cov* —6J **15** (5D **2**)
Warwick St. *Cov* —1F **21**
Warwick St. *Rugby* —6A **28**
Washbrook La. *Alle* —5A **8**
Wasperton Clo. *Bin* —1H **23**
Waste La. *Bal C* —4C **18**
Waste La. *Cov* —6E **8**
Watch Clo. *Cov* —5H **15** (3C **2**)
Watchmaker Ct. *Cov* —6H **15** (4B **2**)
Watcombe Rd. *Cov* —7G **11**
Watercall Av. *Cov* —4J **21**
Waterfall Clo. *Mer* —4A **6**
Waterloo St. *Cov* —4A **16** (1J **3**)
Waterman Rd. *Cov* —2B **16**
Waterside. *Longf* —1E **10**
Watersmeet Gro. *Cov* —2D **16**

Watersmeet Rd. *Cov* —2D **16**
Water Tower La. *Ken* —2B **34**
Watery La. *Cor* —3J **7**
Watery La. *Ker E & Cov* —3F **9**
Watling Cres. *Clift D* —1K **29**
Watling Rd. *Bed* —2D **34**
Watling St. *Clift D* —1K **29**
Watson Rd. *Cov* —6D **14**
Watts La. *Hillm* —2K **33**
Wavebeck Ct. *Rugby* —4H **27**
Waveley Rd. *Cov* —5G **15** (2A **2**)
Wavendon Clo. *W'grve S* —6H **11**
Wavere Ct. *Brow* —2F **29**
Waverley Rd. *Ken* —5C **34**
Waverley Rd. *Rugby* —1J **33**
Weaver Dri. *Rugby* —5J **27**
Weavers Wlk. *Cov* —7D **10**
Webb Dri. *Rugby* —1F **29**
Webb Ellis Rd. *Rugby* —7A **28**
Webster Av. *Ken* —2D **34**
Webster St. *Cov* —1A **16**
Wedgewood Clo. *Cov* —7G **11**
Wedge Woods. *Cov* —1F **21**
Wedon Clo. *Cov* —2J **19**
Welford Pl. *Cov* —1K **15**
Welford Rd. *Rugby* —5E **28**
Welgarth Av. *Cov* —2E **14**
Welland Clo. *Rugby* —4H **27**
Welland Rd. *Cov* —7B **16** (6K **3**)
Wellesbourne Rd. *Cov* —5A **14**
Wellington Gdns. *Cov* —6H **15** (4B **2**)
Wellington St. *Cov* —4A **16** (1H **3**)
Wells Ct. *Cov* —2B **22**
Wells St. *Rugby* —6D **28**
Well St. *Cov* —5J **15** (2E **2**)
Welsh Rd. *Cov* —4D **16**
Welton Pl. *Rugby* —2F **33**
Wendiburgh St. *Cov* —2A **20**
Wendover Ri. *Cov* —4C **14**
Wentworth Rd. *Rugby* —1A **32**
Wesley Rd. *Hillm* —2J **33**
Wessex Clo. *Bed* —2E **4**
West Av. *Bed* —4H **5**
West Av. *Cov* —6C **16**
Westbourne Gro. *Rugby* —1B **32**
Westbrook Ct. *Cov* —4A **14**
Westbury Rd. *Cov* —3D **14**
Westcliffe Dri. *Cov* —4H **21**
Westcotes. *Cov* —7B **14**
Westfield Rd. *Rugby* —7B **28**
Westgate Rd. *Rugby* —1G **33**
Westhill Rd. *Cov* —2F **15**
Westleigh Av. *Cov* —2F **21**
West Leyes. *Rugby* —6C **28**
Westmede Cen. *Cov* —5C **14**
Westminster Rd. *Cov* —7H **15** (6C **2**)
Westmorland Rd. *Cov* —4H **17**
W. Oak Ho. *W'wd B* —3J **19**
Westonbirt Clo. *Ken* —2E **34**
Weston Clo. *Dunc* —6J **31**
Weston Ct. *Rugby* —5E **28**
Weston in Arden. —6G 5
Weston La. *Bulk* —6H **5**
Weston St. *Cov* —4K **15** (1G **3**)
W. Orchard Shop. Cen. *Cov*
—5J **15** (3E **2**)
West Pk. *Cov* —1K **19**
West Ridge. *Cov* —3A **14**
West St. *Cov* —5A **16** (3J **3**)
West St. *Long L* —4G **27**
W. View Rd. *Rugby* —7K **27**
Westway. *Rugby* —6C **28**
Westwood Bus. Pk. *W'wd B* —3A **20**
Westwood Heath. —3K 19
Westwood Heath Rd. *Cov* —3G **19**
Westwood Rd. *Cov* —7G **15** (6A **2**)
Westwood Rd. *Rugby* —3H **33**

Westwood Way. *W'wd B* —3J **19**
Wetherell Way. *Rugby* —2E **28**
Wexford Rd. *Cov* —6F **11**
Weymouth Clo. *Cov* —4F **23**
Whaley's Cft. *Cov* —7H **9**
Wharf Rd. *Cov* —3B **16**
Whateley's Dri. *Ken* —3C **34**
Wheate Cft. *Cov* —6K **13**
Wheatfield Rd. *Bil* —1J **31**
Wheelwright La. *Cov & Ash G* —3J **9**
Wheler Rd. *Cov* —1C **22**
Whernside. *Rugby* —2E **28**
Whetstone Rd. *Cov* —2F **29**
Whichcote Av. *Mer* —6A **6**
Whiley Clo. *Clift D* —4H **29**
Whitaker Rd. *Cov* —5C **14**
Whitburn Rd. *Bed* —4A **4**
Whitchurch Way. *Cov* —1K **19**
Whitebeam Clo. *Cov* —7H **13**
Whitefield Clo. *Cov* —3H **19**
Whitefields Flats. *Cov* —5B **20**
White Friars La. *Cov* —6K **15** (5G **3**)
White Friars St. *Cov* —6K **15** (4G **3**)
Whitehall Rd. *Rugby* —7D **28**
Whitehead Dri. *Ken* —1E **34**
Whitehorse Clo. *Longf* —1D **10**
Whitelaw Cres. *Alle* —2C **14**
Whitemoor. —3C 34
Whitemoor Rd. *Ken* —3C **34**
Whiteside Clo. *Bin* —1H **23**
Whites Row. *Ken* —6C **34**
White Stitch. —3A 6
Whitestitch La. *Mer* —4A **6**
White St. *Cov* —5K **15** (2F **3**)
Whitley. —3C 22
Whitley Ct. *Whit V* —2B **22**
Whitley Village. *Cov* —2B **22**
Whitmore Park. —5H 9
Whitmore Pk. Ind. Est. *Cov* —6J **9**
Whitmore Pk. Rd. *Cov* —4J **9**
Whitnash Gro. *Cov* —3F **17**
Whittle Clo. *Bin* —1H **23**
Whittle Clo. *Rugby* —3K **31**
Whitworth Av. *Cov* —7D **16**
Whoberley. —6C 14
Whoberley Av. *Cov* —5D **14**
Wickham Clo. *Cov* —5F **9**
Widdecombe Clo. *Cov* —7F **11**
Widdrington Rd. *Cov* —3J **15**
Wigston Rd. *Cov* —6H **11**
Wigston Rd. *Rugby* —1J **33**
Wildcroft Rd. *Cov* —6C **14**
Wildey Rd. *Bed* —4B **4**
Wildmoor Clo. *Cov* —3D **10**
Willenhall. —3F 23
Willenhall La. *Bin* —3G **23**
William Arnold Clo. *Cov* —4C **16**
William Batchelor Ho. *Cov* —1E **2**
William Bree Rd. *Cov* —3G **13**
William Bristow Rd. *Cov* —2A **22**
William Groubb Clo. *Bin* —2G **23**
William Malcolm Ho. *Cov* —5G **17**
William McCool Clo. *Bin* —2H **23**
William McKee Clo. *Bin* —2H **23**
William St. *Bed* —4H **5**
William St. *Rugby* —6D **28**
William Thomson Ho. *Cov* —1H **3**
Willis Gro. *Bed* —3G **5**
Willoughby Av. *Ken* —5A **34**
Willoughby Clo. *Bin* —1G **23**
Willoughby Pl. *Rugby* —2F **33**
Willowbrook Rd. *Wols* —5E **24**
Willow Clo. *Bed* —1E **4**
Willow Courtyard. *Cov* —1F **17**
Willow Gro. *Cov* —6B **14**
Willowherb Clo. *Bin* —1H **23**
Willow La. *Rugby* —7E **28**

Willow Meer. *Ken* —3D **34**
Willows, The. *Bed* —4C **4**
Willow Tree Gdns. *Hillm* —2J **33**
Wilmcote Grn. *Cov* —5A **14**
Wilson Clo. *Rugby* —7J **27**
Wilson Grn. *Bin* —7H **17**
Wilson Gro. *Ken* —4E **34**
Wilsons La. *Longf & Exh* —2B **10**
Wiltshire Clo. *Bed* —3E **4**
Wiltshire Clo. *Cov* —5B **14**
Wimbourne Dri. *Cov* —4H **17**
Winceby Pl. *Cov* —7H **13**
Winchat Clo. *Bin* —7H **17**
Winchester Ct. *Dunc* —7J **31**
Winchester St. *Cov* —5A **16** (2H **3**)
Windermere Av. *Bin* —7G **17**
Windermere Av. *Cov* —4J **13**
Windermere Clo. *Rugby* —2E **28**
Windmill Clo. *Bal C* —2A **18**
Windmill La. *Ken* —2C **34**
Windmill Hill, The. *Alle* —1A **14**
Windmill Ind. Est. *Cov* —1K **13**
Windmill La. *Bal C* —5B **18**
Windmill La. *Cov* —1H **7**
Windmill La. *Dunc* —6G **31**
Windmill Rd. *Cov* —4B **10**
Windmill Rd. *Exh* —6E **4**
Windridge Clo. *Cov* —3F **23**
Windrush Way. *Long L* —4H **27**
Windsor Ct. *Cov* —6B **14**
Windsor Ct. *Rugby* —6C **28**
Windsor St. *Cov* —6A **16** (4A **2**)
Windsor St. *Rugby* —6E **28**
Windy Arbour. —5D 34
Windy Arbour. *Ken* —5D **34**
Winfield St. *Rugby* —5F **29**
Wingfield Way. *Cov* —5G **9**
Wingrave Clo. *Alle* —2A **14**
Winifred Av. *Cov* —7G **15** (6A **2**)
Winnallthorpe. *Cov* —3G **23**
Winsford Av. *Cov* —4B **14**
Winsford Ct. *Cov* —4C **14**
Winsham Wlk. *Cov* —6J **21**
Winslow Clo. *Cov* —5B **14**
Winslow Ho. *Cov* —4B **2**
Winspear Clo. *Mer* —6A **6**
Winster Clo. *Ker E* —1G **9**
Winston Av. *Cov* —7F **11**
Winston Clo. *Cov* —7F **11**
Winterdene. *Bal C* —2A **18**
Winterton Rd. *Bulk* —7J **5**
Winwick Pl. *Rugby* —2J **31**
Wise Gro. *Rugby* —7H **29**
Wisley Gro. *Ken* —3E **34**
Wisteria Clo. *Cov* —5D **10**
Withybrook Clo. *Cov* —5F **11**
Withybrook Rd. *Bulk* —7K **5**
Wolfe Rd. *Cov* —2K **19**
Wolsey Rd. *Rugby* —5K **31**
Wolston. —6E 24
Wolston Bus. Pk. *Wols* —4E **24**
Wolston La. *Ryton D* —7B **24**
Wolverton Rd. *Cov* —5A **14**
Wolvey Rd. *Bulk* —7K **5**
Woodburn Clo. *Cov* —4B **14**
Woodclose Av. *Cov* —2F **15**
Woodcote Av. *Ken* —1A **34**
Woodcraft Clo. *Cov* —6A **14**
Wood End. —5E 10
Wood End Cft. *Cov* —1J **19**
Woodfield Rd. *Cov* —1E **20**
Woodford Clo. *Ash G* —2K **9**
Woodhams Rd. *Cov* —6E **22**
Wood Hill Ri. *Cov* —5K **9**
Woodhouse Clo. *Bin* —1G **23**
Woodhouse Yd. *Cov* —3C **10**
Woodland Av. *Cov* —2F **21**

Woodland Rd. *Ken* —1D **34**
Woodlands Ct. *Bin W* —3B **24**
Woodlands Ct. *Cov* —1G **21**
Woodlands La. *Bed* —2C **4**
Woodlands Rd. *Bed* —3C **4**
Woodlands Rd. *Bin W* —2B **24**
Woodleigh Rd. *Cov* —3K **19**
Woodridge Av. *Cov* —2K **13**
Woodroffe Wlk. *Longf* —3C **10**
Woodshires Rd. *Longf* —2B **10**
Woodsia Clo. *Rugby* —1F **29**
Woodside Av. N. *Cov* —3F **21**
Woodside Av. S. *Cov* —5F **21**
Woodside Pk. *Rugby* —4C **28**
Woodstock Rd. *Cov* —2K **21**
Wood St. *Bed* —2E **4**
Wood St. *Rugby* —4C **28**
Woodway Clo. *Cov* —7H **11**
Woodway La. *Cov* —7H **11**
Woodway Park. —6H 11
Woodway Wlk. *Cov* —7G **11**
Woolgrove St. *Cov* —4C **10**
Wooll St. *Rugby* —6C **28**
Wootton St. *Bed* —3G **5**
Worcester Clo. *Alle* —1B **14**
Worcester Ct. *Cov* —3D **10**
Worcester Rd. *Ken* —5D **34**
Worcester St. *Rugby* —5C **28**
Wordsworth Dri. *Ken* —4E **34**
Wordsworth Rd. *Bed* —5H **5**
Wordsworth Rd. *Cov* —4E **16**
Wordsworth Rd. *Rugby* —3A **32**
Worsdell Clo. *Cov* —4H **15** (1B **2**)
Worsfold Clo. *Alle* —1A **14**
Wrenbury Dri. *Cov* —3C **10**
Wren St. *Cov* —5B **16** (2K **3**)
Wright St. *Cov* —3A **16**
Wrigsham St. *Cov* —7K **15** (7F **3**)
Wroxall Dri. *Cov* —4E **22**
Wyatts Ct. *Bed* —3F **5**
Wych-Elm Clo. *Rugby* —1H **31**
Wychwood Av. *Cov* —6J **21**
Wycliffe Gro. *Cov* —3D **16**
Wycliffe Rd. W. *Cov* —3D **16**
Wye Clo. *Bulk* —7H **5**
Wykeley Rd. *Cov* —4E **16**
Wyken. —3E 16
Wyken Av. *Cov* —3F **17**
Wyken Cft. *Cov* —3F **17**
Wyken Grange Rd. *Cov* —3E **16**
Wyken Green. —1E 16
Wyken Lodge. *Cov* —7F **11**
Wyken Way. *Cov* —3C **16**
Wyke Rd. *Cov* —4E **16**
Wyld Ct. *Cov* —3B **14**
Wyley Rd. *Cov* —2G **15**
Wyncote Clo. *Ken* —4C **34**
Wynter Rd. *Rugby* —6K **27**
Wythburn Way. *Rugby* —2F **29**
Wyver Cres. *Cov* —5E **16**

Yardley St. *Cov* —4A **16** (1H **3**)
Yarmouth Grn. *Cov* —1J **19**
Yarningale Rd. *Cov* —4E **22**
Yarrow Clo. *Rugby* —1F **29**
Yates Av. *Rugby* —3B **28**
Yelverton Rd. *Cov* —7J **9**
Yew Clo. *Cov* —7E **16**
Yewdale Cres. *Cov* —6G **11**
Yews, The. *Bed* —4C **4**
York Av. *Bed* —4H **5**
York Clo. *Cov* —4E **22**
York St. *Cov* —6H **15** (5B **2**)
York St. *Rugby* —6B **28**
Yule Rd. *Cov* —3F **17**